AskUp을 활용한

일상생활 속

카르마 · 인연 이야기

BOOKK

AskUp을 활용한

일상생활 속
카르마 · 인연 이야기

발　행 | 2024년 1월 5일
저　자 | 우재 윤필수
겉표지 | 윤정별
펴낸이 | 한건희
펴낸곳 | 주식회사 부크크
출판사 등록 | 2014.7.15.(제2014-16호)
주　소 | 서울특별시 금천구 가산디지털1로 119SK 트윈타워 A동 305호
전　화 | 1670-8316
이메일 | info@bookk.co.kr

　ISBN　| 979-11-410-6338-2

www.bookk.co.kr
© 윤필수 2024

차례

핵심 용어 이해

카르마(Karma, 業)

인 연(因緣)

시절인연(時節因緣)

윤 회(輪迴)

AskUp & 대화

들어가며

이 책 제목을 정하기 전까지, 많은 생각이 머리 속을 오가곤 했다. 그래서 잠시 잡다한 생각을 뒤로 하고, 일단 생각을 멈추고 있는 사이에 불현듯 또 하나의 이런 생각이 나의 뇌리를 스치고 지나갔다. 내가 살아온 날들이 온전히 내 뜻대로만 이루어진 것이었던가. 과연 지금까지 전부 나의 노력과 나의 힘만으로 이루어졌는가. 하는 생각이었다. 꼭 그런 것만은 아닌 것 같다.

인생은 '운7기3' 이라고 말하는데 나의 생각은 사람들의 삶이 모두 운(운10기0)으로 이루어져 있는 것 같다는 생각이 든다. 단지 사람의 노력은 하나의 조건에 불과한 것 같다는 생각이다. 물론 그 조건도 노력조차 하지 않는다면 한 개의 조건조차도 채워지지 않는 것이다. 그러니 나의 노력 하나만으로 어떤 일을 완성할 수 없는 것이다. 뿐만아니라 그것도 다 때(時)가 되어야 이루어지는 것이 아니던가. 그러니 나의 노력 하나만 가지고 어떤 일이 성사된다는 것은 도저히 상상할 수도 없는 것이다. 그래서 여러 가지 생각 끝에 '시절 인연'이라는 것과 연계시켜서 글을 쓰면 어떨까 하는 생각도 해봤다. 그런데 시절인연이라는 것이 사람마다 살아가는 자체 그 모습이라고 생각이 드니 글을 쓰는 것이 다소 무미건조해지고 막막하다는 느낌마저 들었다.

그러면 인연(因緣)이라는 단어만 떼어내서 글을 써보면 많은 이야기꺼리가 있을 것 같다고 생각해 보았지만 그 또한 만만치 않은 것 같다. 그래서 인연과 관련된 책들을 찾다 보니 이 단어가 훅 눈에 들어왔다. 물론 불교적인 용어이긴 하지만 말이다. 그런데 이 카르마란 단어도 인연과 거의 비슷한 뜻이기도 하다는 생각이 들어 다시 한 번 답답함을 느끼던 차에 그냥 무조건 글을 쓸 것이 아니라 AskUp을 활용해서 생활 속에서 벌어지고 있는 사람들의 일상 속 이야기를 카르마와 연관 지어 글을 쓰면, 일반 사람들도 충분히 이해하기도 쉽고 읽기도 쉬울 것이라 생각되어, 이 글을 쓰게 되었다.

여기에 쓰여진 글들은 보통 책들의 형식과는 달리 AskUp과의 대화를 중심으로 이야기를 꾸몄기 때문에 조금 더 손쉽게 접근할 수 있으리라 생각된다. 또한 이 책은 순서없이 관심있는 AskUp과의 대화 부분만을 읽어보아도 된다. 대화 부분에서 질문들이 다소 유사한 것이 있지만 대답의 내용들이 다소 다르기 때문에 그대로 이해해주셨으면 감사하겠습니다. 물론 이 책의 내용이 흡족하지 않은 부분도 있을 수 있지만 우리들의 일상 생활속에서 일어나거나 생각할 수 있는 내용으로 글을 써보았습니다. 아무튼 이 글을 읽고 조금이나마 일상생활을 해나가는 데 도움이 되었으면 하는 바람입니다.

이 책의 구성을 조금 더 구체적으로 소개하면 크게 두 부분으로 나누었다.

가장 많이 사용되고, 핵심이 되는 용어 4가지, 그리고 일상생활 속에서 나타나는 일(상황)들과 궁금한 것들을 중심으로 AskUp과의 질문과 대답 80가지를 기초로 하여 다음과 같이 책을 구성하였습니다.

■ 핵심 용어 이해

- 카르마(Karma,業)
- 인연(因緣)
- 시절인연(時節因緣)
- 윤회(輪廻)

■ AskUp & 대화

이 책을 보는 모든 분들께 감사하는 마음을 온전하게 전하고 싶습니다. 아울러 항상 시간을 내어 책 표지를 멋지게 만들어준 우리 둘째, 정별이에게 항상 고마움을 느낍니다.

모두에게 감사를 전합니다.

부천에서 우재 윤필수

핵심 용어 이해

- 카르마(Karma, 業)

- 인연(因緣)

- 시절인연(時節因緣)

- 윤회(輪迴)

카르마(Karma, 業)

카르마(Karma,業)

카르마(Karma,業)와 인연(因緣)은 동양 철학과 종교에서 사용되는 단어들인데 인간의 행동과 그로 인한 결과를 설명하고, 현재와 미래의 운명에 영향을 미친다고 믿어지는 개념들입니다.

카르마란 단어는 기원전 6세기 힌두 문헌인《우파니샤드》에서 언급된 이래로, 카르마는 '환생을 낳는 행위'를 뜻하게 되었습니다. 또한 인도에서는 전생과 후생이 인과관계로 이어져 있다고 하고, 이 인과관계를 '카르마' 라고 말한다.

카르마(Karma)의 뜻은 사전적인 의미로 불교에서 말하는 업(業) 또는 업보(業報)로 생각, 말, 행동으로 짓는 선악의 소행, 그에 따라 받은 결과라고 합니다.

모순과 오류가 쌓이고 쌓여 물질화(物質化)되어 나타나는 결과적 행위를 "카르마(業)" 라고 하며, 카르마의 최종 목적은 불완전을 완전으로 돌려놓기 위한 하나의 사건 수습과정이 되는 셈입니다. 카르마는 지구상에 육체(肉體)를 입은 모든 인간에게 주어지는 임무와 같은 것입니다.

또한 카르마를 이행하는 과정에서 불완전을 완전(完全)으로 돌려놓는 행위, 불균형을 균형(均衡)으로 맞추어 놓는 행위를 카르마를 갚는다.” 라고 표현한다고 합니다.

카르마, 즉 업(業)은 해소되지 않으면 다음 생에도 이어지는데, 깨달을 때까지 반복하여 계속 돌게 만든다고 합니다.

인간의 행동은 한 번 하고, 두 번 하고, 세 번 이상을 반복하면 습관(習慣)이 되는데, 무의식적으로 한 번 했던 행동은 반복하려는 습관이 있습니다. 무의식적으로 같은 행동을 계속 반복하다 보면, 여기에서 조금씩 생기는 모순점들이 점점 불어나 사건으로 발생하여 치고 들어오는데 사건은 곧 이 모순을 바로잡으라는 ‘징조(徵兆)’입니다.

무의식적으로 반복되는 패턴 속에서 자신의 모순을 발견하는 것이 바로 “깨달음”입니다. 자신이 자신의 행위를 인지하는 순간부터 그 행위는 반복되지 않고 점차 모순점을 바로잡아 나갈 수 있다고 합니다.

인도의 종교와 철학에 있어 윤회와 더불어 핵심사상이 카르마(業)인데 과거 자신이 했던 말과 행동들로 인해 인생에 아주 중요하게 작용 되는 것이라고 합니다.

최초의 원인이 되는 행위가 쌓이고 쌓여 임계치에 이르면 눈에 보이는 물질적 결과로 나타나는데 이것이 카르마(業)가 발현되는 것이다. 차곡차곡 쌓인 정보는 어느 순간 통합되는 시점이 온다. 이 통합의 시점에 터져 나오는 '물질적 결과'가 '카르마(業)'이다. 에너지 상태는 눈에 보이지 않지만 에너지가 차올라 물질화가 되었을 때는 이미 돌아가기에 너무 늦어버렸다고 말한다.

카르마(業)란 '뿌린 대로 거둔다'는 자기 행위에 대한 결과이자 책임이기도 하다.

카르마(業)는 일종의 영(靈)적인 빚이다. 카르마가 해소될 때, 삶이 안정되고 편안해지는 법이다.

카르마의 특성

> **카르마는 임계점에 도달하면 현실로 드러나는 특성이 있다.**

카르마는 여러 가지 특성이 있는데 그 중 임계점에 도달하면 정확히 현실로 드러나는 특성이 있다. 임계점이라는 것은 물질의 구조와 성질이 다른 상태로 바뀔 때의 온도와 압력을 말하는 과학적 용어이다. 쉽게 말해서 물이 서서히 뜨거워지다가 100℃가 되면 끓는 것을 의미한다.

이 카르마라는 것은 나의 무의식에 지속적으로 쌓이고 저장된다. 그리고 어떠한 행위를 반복하게 디면서 시간이 지나 축적이 되어 임계점에 도달하면 정확히 현실로 드러나는 특성이 있다. 그래서 그 카르마에 따른 '고통'을 받게 되는 것이다.

불교에서 말하는 인연과보 인과응보, 즉 원인에 따른 결과를 뜻한다.

카르마 또한 눈에 보이지 않는 비물질(非物質)이며, 이 카르마가 눈에 보이기 위해서는 반복된 행동과 시간이라는 것이 필요한 것이다. 시간이 지나서 임계점이 되는 시점에 정확히 현실로 드러나게 되고 내가 생각하고 말하고 행동했던 이 카르마가 현실로 드러나면서 나 스스로 그것을 느끼게끔 만드는 것이다.

카르마 법칙과 유사한 하인리히의 법칙

> **큰 실수는 굵은 밧줄처럼 여러 겹의 섬유실로 만들어진다.**

하인리히의 법칙(Heinrich's Law)또는 1:29:300의 법칙은 어떤 대형 사고가 발생하기 전에는 같은 원인으로 수십 차례의 경미한 사고와 수백 번의 징후가 반드시 나타난다는 것을 뜻하는 통계적 법칙이다.

업무 성격상 수많은 사고 통계를 접했던 하인리히는 산업재해 사례 분석을 통하여 하나의 통계적 법칙을 발견하였다. 그것은 바로 산업재해가 발생하여 사망자가 1명 나오면 그 전에 같은 원인으로 발생한 경상자가 29명, 같은 원인으로 부상을 당할 뻔한 잠재적 부상자가 300명 있었다는 사실이었다. 즉 큰 재해와 작은 재해 그리고 사소한 사고의 발생비율은 1:29:300이라는 것이다. 이 하인리히의 법칙도 카르마의 법칙과 유사하다고 볼 수 있다. 카르마의 법칙 또한 내가 잘못된 생각이나 행동을 하게 될 때 나의 양심이 나를 여러 번 자극하고 메시지를 보낸다. 하지만 인간의 무지함 때문에 이런 메시지를 무시하고 넘겨 버린다. 나의 양심이 보내는 메시지를 무시해 버리는 것이다. 그리고 그 결과가 드러나 고통을 받을 때는 남 탓, 사회 탓을 하게 되는 것이다.

 카르마(業), 업(業)에는 크게 2가지가 있다.
공업(共業)과 별업(別業) 이다. 공업은 말 그대로 함께 짓는 업을 뜻하고 별업은 개인이 짓는 개인적인 업을 뜻한다.
 대형사고가 한 번에 나는 경우는 사회적 카르마이며 공적 카르마(Karma)이다. 이런 사고는 여러 명의 카르마가 뒤섞여서 발생한다고 보면 된다. 특히 이런 대형사고가 발생해서 인명피해가 났을 때 이런 사고를 빈정대고 비아냥거리는 사람들이 있는데 이 또한 하나의 카르마라고 볼 수 있다. 이런 사람들은 타인의 고통을 못 느끼는 카르마를 짓기 때문에 시간이 지나 때가 되면 그 고통을 본인이 겪음으로써 타인의 고통을 이해해야 되는 것이다.

> **카르마는 인간이 영적 성장을 하고 올바른 방향으로 나아가게 돕는 대자연의 정화작용 시스템이다.**

 결국 '카르마(Karma)' 라는 것은 인간의 영적 성장을 돕고 인간이 올바른 방향으로 나아가게 대자연이 돕는 하나의 시스템 정도로 생각하면 될듯하다.

우리 인간이 태어나는 궁극적 이유는 나의 "영적 성장"을 위함이다. 즉 스스로의 업(業)을 소멸하고 자연의 이치를 깨닫기 위함이라는 것이다. 하지만 우리는 이런 부분에 관심을 가지지 않고 매 순간 놀고 즐길 거리만 집중하고 쾌락적인 것들만 찾아 헤매고 살아간다. 결국 스스로 지은 그 많은 업을 차후에 어떤 식으로 견디려고 저렇게 시간을 허비하고 남에게 악한 영향을 미치면서 살아가는지 하는 생각이 든다. 카르마라는 것은 죄와 벌의 개념은 아니지만 상당히 무서운 것이다. 인간은 이를 모르고 무지하기 때문에 그렇게 다들 살아가는 것이다.

출처《https://m.blog.naver.com/superhammer1/222932042654》

카르마의 12가지 법칙

Ⅰ. 대법칙 (The Great Law)

○ "뿌린대로 거두리라(As you sow, so shall you reap)" 이것은 '인과의 법칙' 으로 알려져 있다.
○ 우리가 우주에 내어놓는 것은 모두 우리에게로 되돌아 온다.

Ⅱ. 창조의 법칙

○ 삶은 그냥 일어나지 않는다. 그것은 우리의 참여를 동반한다.
○ 우리는 안과 밖에서 항상 우주(宇宙)와 함께 한다.
○ 우리를 감싸고 있는 모든 것들은 우리에게 우리의 내면 상태에 대하여 단서를 준다.
○ 당신 자신이 되고, 당신 삶에서 당신이 원하는 것들로 주위를 둘러싸라.

Ⅲ. 겸손의 법칙

○ 당신이 그것을 받아들이기 거절한다면, 당신은 무언가를 바꿀 수 없을 것이다.
○ 만약 우리가 보는 것이 적이거나, 부정적인 것을 발견한 특이 성격을 가진 사람이라면, 우리 자신은 존재의 더 위의 수준에 초점을 맞추고 있지 않다.

Ⅳ. 성장의 법칙

○ "당신이 가는 곳마다 당신이 있다."
○ 영에서의 성장을 위해, 변해야 하는 것은 '우리'이다. 그 사람이나, 장소, 주위의 것들이 아니다.
○ 우리 삶에서 오직 우리가 제공한 것은 자신이며, 이는

우리가 통제를 가질 수 있는 유일한 요인이다.

○ 우리가 우리의 가슴 안에서 우리가 누군지를 바꿀 때, 우리의 삶이 따르며 변화를 시행한다.

V. 책임의 법칙

○ 내 삶의 뭔가 잘못된 것이 있을 때마다, 내 안에서도 뭔가 잘못된 것이 있다.

○ 우리는 우리 주위의 것들을 반영하며, 우리의 주위에 있는 것들 또한 우리를 반영한다.

○ 우리는 우리의 삶에 있는 것들에 대하여 책임감을 지녀야한다.

VI. 연결의 법칙

○ 우리가 하는 뭔가가 하찮아 보일지라도, 우주의 모든 것이 연결되었듯, 그것이 이루어지는 것은 매우 중요한 일이다.

○ 모든 단계(段階)들은 다음 단계를 이끈다.

○ 어떤 이들은 일을 마치기 위해 처음 시작을 해야 한다.

○ 첫 단계든 마지막 단계든 더 의미가 큰 것은 아니지만, 그것들은 그 과제를 성취하기 위하여 필요한 것들이기도 하다.

○ 과거, 현재, 미래는 모두 연결되어 있다.

Ⅶ. 초점의 법칙

○ 당신은 두가지를 동시에 생각할 수 없다.
○ 이것 때문에 우리의 초점이 영적인 가치들에 있을 때, 우리가 탐욕(貪慾)이나 분노(憤怒)와 같은 낮은 생각들을 하는 것은   불가능할 것이다.

Ⅷ. 나눔과 환대의 법칙

○ 당신이 뭔가 사실인 것을 믿는다면, 당신 삶에서 때로는 당신은 특별한 진리를 보이기 위해 불려질 것이다.
○ 여기는 실제 수련으로 배웠다고 주장하는 것들을 저장 하는 장소이다.

Ⅸ. 지금, 여기의 법칙

○ 그것이 무엇인지 검사하기 위해 뒤돌아보는 것, 미래에 대해서 염려하기 위해 예상하는 것들은 우리가 완전히 지금, 여기에 있는 것을 방해한다.
○ 오래된 생각들과 패턴들, 그리고 꿈들은 우리가 새로운 것들을 갖는 행위를 방해한다.

Ⅹ. 변호의 법칙

역사(歷史)는 우리가 우리의 길을 바꿀 필요가 있다는 것을
교훈을 통해 배울 때까지 반복된다.

Ⅺ. 인내와 보상의 법칙

○ 모든 보상은 초기의 고통을 필요로한다.
○ 영속적인 가치의 보상들은 인내와 끈질긴 고통을 요한다.
○ 진정한 기쁨이란 우리가 하기로 되어 있는 것을 하고,
  보상이 그 나름대로의 시기에 올것이라는 것을 앎으로
  부터 온다.

Ⅻ. 의미와 영감의 법칙

○ 네가 그것을 투여한 것이 무엇이든 당신은 그 투여한 것
  을 되돌려 받게 되어있다.
○ 어떠한 것들의 진정한 가치는 그것에 쏟는 에너지와
  의도적인 직접적 결과이다.
○ 모든 개인적 기여는 전체에 대한 기여이기도 하다.
○ 불분명한 기여들은 전체에 아무런 영향력을 가지 못하며,
  그것을 약화시키기 위해서도 작용하지 않는다.
○ 사랑의 기여는 삶을 전체로 이끌며 전체에 영감을 준다.

출처《지혜와 통찰의 서「**카르마와 인연법**」태라전난영 지식공감
2022.7.22. 》
출처《https://m.blog.naver.com/rudtjs1184/221123313059》

인연(因緣)

인연(因緣)

인연(因緣)이란 윤회(輪迴)를 불교(佛敎)에서 말하는 업설과 인과응보설에 의한 것으로 사물은 인과의 법칙에 의해 특정한 시간과 공간의 환경이 조성되어야 일어난다는 뜻이다.

인연(因緣)은 사람들 사이에 맺어지는 관계 또는 어떤 사물과 관계되는 연줄을 뜻한다. 불교의 인(因)과 연(緣)을 아울러 이르는 말이다. 인은 결과를 만드는 직접적인 힘이고, 연은 그를 돕는 외적이고 간접적인 힘이다. 불교에서 원인이 되는 결과의 과정이라 할 수 있다. 석가모니는 "모든 것은 인(因)과 연(緣)이 합하여져서 생겨나고, 인과 연이 흩어지면 사라진다." 는 말을 남겼다.

불교에서는 삼시업(三時業)이라 하여 업을 지어 과보(果報)를 받는 시간적 차이를 세 가지로 나누고 있다.

◉ 순현업(順現業)은 현생에 짓고 현생에 받는 것이고,
◉ 순생업(順生業)은 전생에 짓고 현생에 받거나 현생에 짓고 내생에 받는 것이며,
◉ 순후업(順後業)은 여러 생에 걸쳐서 받는 것이다.

예를 들면

봄에 볍씨를 심어 가을에 수확하는 것은 현생에 짓고 업(業)을 받는 것이기에 순현업(順現業)에 해당되고, 순생업(順生業)은 전생의 인연에 의해 이번 생(生)에 부부가 되거나, 이번 생의 연분으로 내생에 부부가 되는 것에 해당하고, 순후업(順後業)은 선업이나 죄업이 커서 여러 생 동안 공덕이나 죄업을 받거나, 몇 생을 건너 받는 것을 말한다.

불교적 관점에서 보면 우리가 알지 못하는 업(業)에 의해 탄생한 결과를 우리는 우연(偶然)이라고 부르는 것이 된다.

현대 한국어에서는 여러 가지 삶의 변수나 사건의 결과로 맺어진, 사람 혹은 사물과의 '관계'나 '연줄'의 의미로 쓰이는 경우가 많다. 운명과도 비슷한 의미로 사용된다. 따라서 불교에서의 인연은 '인연일 뿐 자성(自性)이 없으므로 집착할 것이 없다'에 가까운 맥락으로 쓰이는 반면, 현대 한국어에서는 '인연이므로 하나로 맺어지는 것을 거부할 수 없다'는 의미에 가깝게 사용되고 있다.

출처《https://search.naver.com/》
출처《「윤회의 본질」크리스토퍼M.베이치 옮긴이 김우종
정신세계사 2014.3.7 》

어리석은 사람은

인연을 만나도 인연인줄 알지 못하고

보통 사람은

인연인줄 알면서도 그것을 살리지 못하고

현명한 사람은

옷자락만 스쳐도 인연을 살릴 줄 안다

살아가는 동안 인연은 매일 일어난다

그것을 느낄 수 있는 육감을 지녀야 한다

사람과의 인연도 있지만

눈에 보이는 모든 사물이

인연으로 엮여 있다

- 피천득 「인연」 중에서 -

  서로에게 기막힌 순간에 서로의 인생에 자연스레 등장해 주는 것. 그래서 서로의 누군가가 되어 주는 것 그것이 운명(運命)이자 인연(因緣)인 것이다.

사람과 사람의 관계성 속에서 우리는 카르마(業)라는 연결 고리로 연결되어 있는데, 카르마가 해소되면 복잡한 인연의 고리 또한 풀리게 됩니다. 감정의 얽힌 고리가 풀리게 되면 자연스러운 관계가 형성되며, 이때부터 인연(因緣)은 새롭게 발전된 관계성을 맺을 수 있다. 인연과 인연으로 얽어진 카르마가 해소되어, 서로 간의 역할은 끝내고 나면 자연스럽게 헤어지거나 좀 더 편안한 관계를 유지할 수 있다고 한다.

사람의 인연이 끊어지는 징조

인연이 끊어진다는 의미는 무엇일까?
인연이 끊어진다는 의미는 지금까지 친하게 지내던 상대와의 관계가 엷어지는 것을 말합니다.
연락하거나 만나거나 하는 횟수가 격감했을 경우나, 전혀 대화하는 일이 없어진 경우 등에 사용되는 말입니다.
이사나 전직등에 의해 인연이 끊어지는 일도 있습니다만, 친구 관계가 변화하거나 상대를 싫어하게 되어 자신으로부터 인연을 끊거나 할 수도 있는 것입니다.
스스로가 인연을 끊는 경우도 있지만, 자연스럽게 인연이 끊어져, 어느새 사이 좋았던 상대와 만나지 않게 될 수도 있기 때문에 주의가 필요합니다.

인연이 끊기는 건 운이 좋을 때인가 ?

 인연이 끊어지는 것을 부정적으로 보는 사람도 많지만 운이 좋을 때라야 끊어진다는 생각도 있습니다.
인연이 끊어지는 것은 당신에게 있어서 필요한 배움(깨달음)이 끝났기 때문입니다.

 그 상대방과의 교제를 통해서 얻을 수 있는 것은 더 이상 없기 때문에 새로운 만남을 위해서도 그 사람과의 인연이 끊어지는 것입니다.
즉 앞으로 당신에게 좋은 만남이 기다리고 있을지도 모릅니다.
그러나 반드시 모든 인연을 끊는 것이 좋은 것이라고는 할 수 없기 때문에, 하나하나의 인연은 소중히 여겨야합니다.

인연이 끊어지는 전조(前兆) 10가지

사람과의 인연이 끊어질 때에는 여러 가지 징조가 나타납니다.
갑자기 확 끊어지는 경우 보다는 서서히 끊어지기 때문에 전조는 나타나기 마련입니다.

전조 현상

1. 직감(直感)으로 알 수 있다.

사람과의 인연이 끊어질 때의 전조(前兆)로는 직감으로 알 수 있다는 것이 있습니다.

어쩐지 그 사람과 앞으로 만날 일은 없을 것 같기도 하고, 다음에 만날 생각을 하지 않게 되기도 합니다.

인연(因緣)은 영혼(靈魂)이 서로 끌어당기는 힘이기도 하기 때문에 영혼의 감각을 민감하게 느끼면 직감으로 알 수 있습니다.

잘 만나다가 오늘 왠지 마지막으로 안 볼 것 같다 라는 생각이 들었는데 동시에 둘다 연락을 하지 않을 때가 있습니다.

2. 만나지 못하게 된다.

만날 수 없게 된다는 것도 사람과의 인연(因緣)이 끊어질 징조인 것입니다.

자연스럽게 그 사람과 만날 수 없게 되거나 만날 기회가 적어지거나 하면, 그대로 인연이 끊어지는 일이 많습니다.

지금까지는 빈번히 만났는데, 왠지 만나는 일이 적어졌다고 하는 경우는, 인연이 끊어지는 징조의 가능성이 있기 때문에 주의해야 합니다.

서로가 필요해 의해 만났을 때, 그 필요가 더 이상 없어지면 인연은 끊어지게 되어 있습니다.

3. 타이밍이 어긋난다.

타이밍이 어긋난다고 하는 것도 사람과의 인연(因緣)이 끊어지는 징조가 됩니다.

인연이 끊어지는 사람과는 만나려고 해도 일의 사정 등으로 자연스럽게 만날 수 없게 되어 버립니다.

지금까지는 바로 만날 수 있었지만, 왠지 타이밍이 맞지 않게 되어 버리는 것입니다.

한두번 타이밍을 놓치게 되면 먼저 연락하지 않는 이상 자연스럽게 만날 기회(機會)가 적어지면서 멀어지게 됩니다.

4. 안 보고 싶어지는 마음이 든다.

보고 싶지 않게 된다는 것도 인연이 끊기는 신호입니다.

그때까지는 매일 같이 만났던 사람이라도 인연이 끊기기 전에는 왠지 만나고 싶은 마음 자체가 없어져 버렸습니다.

상대도 마찬가지로 생각하고 있는 경우가 많기 때문에, 그것에 의해 자연스럽게 거리가 생깁니다.

상대방이 어떤 잘못을 했을 수도 있고, 마음이 식었을 수도 있듯이 이제는 보고 싶지 않다라는 강한 마음이 든다면 인연이 끊어질 가능성이 아주 높습니다.

5. 함께 있으면 위화감(違和感)을 느낀다.

 함께 있으면 위화감을 느끼게 된다는 것도 사람과의 인연
이 끊어지는 신호가 됩니다.
 사이 좋은 사람과 함께 있어도 자연체로 있을 수 있지요.
그러나 인연이 끊어지기 전이 되면 위화감을 느끼게 되거나
이야기가 맞지 않게 되거나 합니다.
그런 위화감(違和感)이 상당히 불쾌해서 거리를 떼어 놓게
되는 사람도 많이 있습니다.
사람과의 관계가 편함이 있어야 합니다. 위화감(違和感)은
인연을 끊어지게 하는 적입니다.

6. 상대를 생각하지 않게 된다.

 상대를 생각하지 않게 된다는 것도 인연이 끊어질 징조라
고 할 수 있습니다.
지금까지는 놀 때 등은, 맨 먼저 그 사람이 머리에 떠올라,
연락을 하고 있었다고 해도, 왠지 그 발상 자체가 없어져 갑
니다.
그 결과 놀 생각은 없어지고 만나는 횟수도 줄어들 것입니다.
알고 보니 몇 년 만나지 않고 있을때 나중에 깨닫는 경우도
있습니다.

7. 상대의 말에 불쾌감(不快感)을 느낀다.

상대의 말에 불쾌감을 느낀다는 것도 사람과의 인연이 끊어지는 전조입니다.
지금까지는 사이좋게 대화를 하고 있었을 것인데, 왠지 어느 타이밍부터 상대의 말이 신경이 쓰이게 됩니다.
짜증이나거나 공감이 안가거나 하는거죠. 그로 인해 함께 있는 것을 즐겁지 않게 되어 가고, 인연이 끊어져 갑니다.
대화가 잘 통해야 인연은 이어지게 됩니다.

8. 생각과 가치관(價值觀)이 바뀐다.

생각이나 가치관이 바뀐다는 것도 사람과의 인연이 끊어질 징조라고 할 수 있습니다.
살면서 자신(自身)의 생각이 깊어지거나 지금까지 가지고 있던 가치관이 바뀔 수 있지요.
그런 타이밍은 당신이 성장한 타이밍입니다. 그럼으로써 상대방으로부터 얻을 수 있는 배움이 없어질 수도 있기 때문에, 그것으로 인해 인연(因緣)이 끊어질 수도 있는 것입니다.
평생 함께하는 인연도 있지만 우리는 살아가면서 많은 사람들과 인연을 맺고 끊기를 반복합니다.
내가 어떤 가치관(價值觀)을 가지고 생활하느냐에 따라 배움도 달라지고, 만남도 달라지게 됩니다.

9. 일과 취미(趣味)에 열중하다.

일이나 취미에 열중하게 되는 것도, 사람과의 인연이 끊어
지는 전조가 됩니다.
일과 취미에 열중한다는 것은 당신의 생각이 바뀌었다는 것
을 의미합니다.
또한 해야 할 일을 찾게 되는 것이겠지요. 그러면서 쉴때 한
가롭게 만났던 인연들과는 자연스럽게 멀어지게 되고, 나중
에는 인연이 끊어지게 되는 것입니다.
그로 인해, 당신이 소중히 하는 것이나, 사람 교제가 바뀌는
것이 있습니다.
즉, 새로운 스텝을 내디디게 되므로, 그것으로 인해 지금까
지와는 인간관계(人間關係)가 바뀔 가능성이 있는 것입니다.

10. 환경(環境)이 바뀐다.

환경(環境)이 바뀐다고 하는 것도, 사람과의 인연이 끊어지
는 전조가 됩니다.
이사나 전근 등으로 환경(環境)이 바뀌게 되면 자연과 인간
관계도 바뀌게 되는 것이지요.
그로 인해, 지금까지의 연결고리가 끊어질 수도 있기 때문
에, 환경이 바뀐다고 하는 것도 전조가 될 수 있습니다.
직장을 바꾸었을 때, 처음엔 전 직장 사람들과 자주 연락하
며 만나다가 자연스럽게 멀어지게 되는 경험을 했을 것입니

다. 새 직장에서 새로운 사람들을 만나기도 하고, 전 직장 사람들과 차츰 공감대가 형성되지 않으면서 인연(因緣)이 끊어지게 되는 것입니다

인연이 끊어질 때의 정신적인 이유.

 인연이 끊어질 때의 정신적인 이유로는, 필요한 이별이라고 하는 이유가 있습니다.

 우리의 영혼(靈魂)은 항상 성장하기를 원합니다. 누군가를 만나고 다양한 경험을 거치면서 영혼은 성장하는 것입니다. 하지만 그러기 위해서는 여러 사람과 교류를 거듭해야 하기 때문에 같은 사람하고만 같이 있으면 배움의 기회를 잃어버리고 맙니다.

 정신적(精神的)으로는 이렇게 배움의 기회(機會)를 얻기 위해서 인연(因緣)이 끊어지는 것으로 알려져 있습니다.

즉, 상대방에게서 얻을 수 있는 배움이 없어지면 인연이 끊어지는 거죠.

또 새로운 사람을 만나기 위해서이기도 하고, 당신이 그 상대를 너무 의지하지 않기 위한 시련일 수도 있습니다.

 인연이 끊어진다는 것은 긍정적(肯定的)인 의미를 가지는 경우도 많기 때문에 비관할 필요는 없습니다. 인연이 끊기면

새로운 인연이 나타날까요? 인연이 끊기면 새로운 인연이 생긴다고 합니다.

인연(因緣)이 끊어질 때는, 당신의 가치관에 변화가 있거나 환경이 바뀌거나 할 때가 많다고 합니다. 또 새로운 인간관계가 생겼을 때 과거의 인연이 끊어질 수도 있다고 합니다.

그렇게 해서 새로운 만남 속에서 당신과 인연이 있는 사람과 친해질 수 있습니다. 그리고 당신은 그 사람으로부터 새로운 배움을 얻고 더 성장할 수 있을 것입니다.

그 상대는 당신의 인생의 반려자가 될 수도 있고, 언젠가 다시 헤어질 새로운 만남을 얻기 위한 스텝이 될 수도 있습니다. 아무튼, 당신에게 있어서 필요한 인연(因緣)이기 때문에 소중히 합시다.

끊어진 인연이 다시 연결되는 방법 3가지.

끊어진 인연을 다시 이어가고 싶어하는 사람도 있을 것입니다. 그래서 끊어진 인연이 다시 연결되는 방법을 소개해 보겠습니다.

1. 성장하는 방법.

끊어진 인연이 다시 연결되는 방법으로는 성장(成長)하는 것이 있습니다.

인연(因緣)이 끊어지는 것은, 당신이 성장하기 위해서 필요한 것도 많습니다만, 성장하는 것에 의해서 목적을 완수해, 다시 인연이 연결되는 경우도 많습니다.

즉, 성장해서 재회(再會)하는 것이야말로, 원래 인연이 끊어진 목적이었던 것입니다.

내가 혹은 상대방이 성장하여 다시 인연이 이어졌을 때, 훨씬 더 오래 인연을 지속할 수 있는 방법이기도 합니다

2. 질질 끌지 않는다.

굳이 질질 끌지 않는 것도 끊어진 인연(因緣)이 연결되는 부활 방법입니다.

당신이 정말 계속 연결된 채로 있고 싶었던 인연이 끊어져 버렸다면 슬프겠네요. 그 사람을 매일 생각해 내고, 질질 끌어 버리는 일도 있습니다.

그러나 그런 것은 돌아서서 밖에 생각할 수 없습니다. 과거에만 눈을 돌리고 있기 때문입니다.

그래서 그 사람을 포기하고 앞을 바라봄으로써 당신은 성장할 수 있는, 자연(自然)과 인연(因緣)도 부활하게 됩니다.

3. 상대를 용서(容恕)한다.

끊어진 인연(因緣)을 부활시키기 위해서는 상대를 용서하는 것도 중요합니다. 상대방이 싫어하는 부분이거나 용서할 수

없는 부분도 있다고는 생각합니다만, 그것을 받아들이는 것이 중요합니다.

그것을 용서(容恕)할 수 있게 되었다는 것은 당신이 성장(成長)한 증거이기도 합니다. 그 때문에, 상대를 용서할 수 있는 마음을 가질 수 있도록, 생각을 성장시켜 나가도록 합시다.

출처《https://ludyyang.tistory.com/34》

시절인연(時節因緣)

시절인연(時節因緣)

 본 뜻은 모든 사물의 현상은 시기가 되어야 일어난다는 말을 가리키는 불교용어다. 명나라 말기의 승려 운서주굉(雲棲株宏)이 편찬한 '선관책진(禪關策進)'이라는 책에 나오는 말로, '시절인연이 도래(到來)하면 자연히 부딪혀 깨쳐서 소리가 나듯 척척 들어맞으며 곧장 깨어나 나가게 된다'라는 구절에서 따온 것이다.

현대에는 모든 인연에는 때가 있다는 뜻으로 통하며 때가 되면 이루어지게 되어 있다는 뜻이다. 또한 인연의 시작과 끝도 모두 자연의 섭리대로 그 시기가 정해져 있다는 뜻도 내포한다.

 불교의 인과응보설에 의하면 아무리 거부해도 때와 인연이 맞으면 좋은 일이든 나쁜 일이든 일이 일어날 수 밖에 없다.

□ 상세내용(詳細內容)

 불교적 관점에서 보면 석가모니는 '모든 것은 인(因)과 연(緣)이 합하여져서 생겨나고, 인과 연이 흩어지면 사라진다.' 는 말을 남겼다. 즉, 인과 연이 합하여질 때가 인연이 시작되는 때이고, 인과 연이 흩어질 때가 바로 인연이 끝나는 때라고 할 수 있다.

또, 윤회를 믿는 불교에서는 전생이나 현생에서 지은 업에 의해 돌아가는 인과의 법칙이 특정한 시간과 공간의 환경을 조성하면 인연이 일어난다고 본다. 즉, 우리가 우연의 일치로 일어났다고 보는 모든 일은 사실 모두 우리가 알지 못하는 원인이 있고, 그것이 결과로 나타났을 뿐이라는 것이다.

결국 시절인연(時節因緣)이 맞으면 아무리 거부해도 인연을 만들게 되며, 시절인연이 맞지 않으면 아무리 인연을 맺으려 애를 써도 인연을 맺을 수 없게 된다.

인연이 맞아 일이 잘 풀리다가도 어느 때부터 잘 풀리지 않거나, 마음이 맞던 사람과 자꾸만 엇나가게 되면 그 때가 바로 인연이 다한 시기라고 한다. 다만, 세상만사를 '시절인연'이라는 4글자 단어에 맞추어 보게 되면 잠시 오는 위기조차 넘기지 못하고 쉽게 포기하는 것이 되므로 노력이라는 것도 해봐야 훗날 그것이 그저 잠시 찾아오는 시련이었는지, 아니면 정말로 그것이 인연의 끝이었는지 알 수 있을 것이다.

사람들은 흔히 만날 수 없던 인연에 대해서는 "그 사람과는 인연이 없었던거야."라고 말하며 헤어진 인연에 대해서는 "우리 인연은 딱 거기까지였다."라고 말한다. 불교적 관점에서 보면 둘 다 맞는 이야기다.

□ 유의어(類義語)

운명(運命)이라는 말과도 비슷한 말이다. 불교에서 말하는 시절인연을 만드는 우리가 알지 못하는 우리의 업(業)에 의해 탄생한 결과는 우리가 보기엔 우연의 일치지만 어떻게 보면 운명이라고 할 수 있다.

기회(機會)라는 말과는 비슷하면서도 다른데, 기회는 때가 되면 오는 것이긴 하지만 준비된 정도에 따라서, 노력 여하에 따라 그 기회를 잡을 수도 있지만 놓칠 수도 있다. 그러나 정말 좋은 때에 기회가 찾아온다면 그것이 바로 시절인연이라고 할 수 있겠다.

'시절'을 이야기하지는 않지만 한비자가 말한 유연천리래상회(有緣千里來相會) 무연대면불상봉(无緣對面不相逢)도 비슷한 말이다. '연이 있으면 천리를 떨어져 있어도 만나게 되며, 연이 없다면 얼굴을 마주하고 있어도 만날 수 없다'는 말이다. 오래전부터 존재하던 중국의 속담이다.

출처《https://namu.wiki/w/%EC%8B%9C%EC%A0%88%EC%9D%B8%EC%97%B0》

윤회(輪迴)

윤회(輪廻)

불교에서는 samsara-chakra라고 해서 세상을 비유적으로 혹은 말 그대로 "굴러가는 수레"라고 표현한다. 흔히 말하는 천상세계도, 불교의 관점에서는 윤회에 속박된 상태에 불과하다. 삼계 육도(三界六道). 천상세계에 다시 태어나도, 거기서 해탈하지 못하는 한 언젠가는 다시 죽어 환생할 것이다.

불교에서 깨달음을 얻어 해탈하면 다시는 윤회(輪廻)하지 않는다고 말하는데, 번뇌와 업을 끊었기 때문이다. 번뇌와 업의 힘으로 윤회가 되는데, 그걸 끊었으니 더 윤회하지 않는다는 것. 십이연기는 이 원리를 담은 불교 교리이다. 그리고 해탈하여 더 이상 윤회(輪廻)하지 않는 사람을 깨달은 자. 다른 말로 부처라고 한다.

불교적 이타행의 이상인 보살은 윤회를 이미 벗어났음에도 중생에 대한 크나큰 자비심으로 윤회세계에 들어와 화신으로서 활동한다고 한다. 서브컬처에서 ~보살의 화신이라는 식으로 나타나기도 한다.

석가모니는 과거에 보살로서 억겁의 세월 동안 수많은 세계에서 윤회하여, 마침내 완전한 깨달음인 부처의 영역에 도달했다고 한다. 본 생담이라고 불리는 이 윤회 전생담에는 이솝우화 등의 모티브가 된 각종 우화들이 포함된다. 여기서 보살이었던 전생의 석가모니는 사슴, 용 등의 다양한 축생으로도 태어난다.

빅쿠 아날라요(Bhikkhu Anālayo)의 《Rebirth in Early Buddhism and Current Research》(2018)에 따르면 불교 초기부터 윤회 환생은 연기, 업의 맥락에서 명확히 설명되고 있다. 또한 석가모니의 깨달음의 경험 가운데 자신과 타인의 전생에 대한 회상(回想)이 뚜렷이 존재한다.

 비슷한 말로는 생사윤회·윤전·윤회생사·윤회전생·육도윤회 등이 있다.
 윤회를 정치용어로 사용할 때에는 국가의 발전 단계에 인간의 성장 시기를 결부하여 설명하는 이론을 뜻한다.

 이 윤회는 불교에서 말하는 순환론적 시간관을 한마디로 표현한 것이자 곧 끊임없이 생성과 소멸을 반복하는 변화(그러면서도 존재의 변화와 유전을 뜻하기도 한다), 인간과 만물 혹은 자연의 순환 원리 그 자체이며, 이 세계에 존재하는 모든 현상들 중에 윤회(輪迴)가 아닌 것이 없으며, 그렇기에 우주의 물리적인 순환, 그리고 흔히 알려진 대로 육도를 유전하며 받는 생(生), 그리고 생사의 변이 또한 이 윤회라는 개념에 해당되는 것은 물론, 우주의 자연 변화, 즉 춘하추동 사계절의 변화와 과거, 현재, 미래 삼세의 유전(流轉), 어김없이 교대하는 낮과 밤 또한 시간의 윤회이며, 여기저기 이

곳 그곳과 같은 동서남북의 방위변환 또한 공간의 윤회라고
한다.

바람과 구름이 엉켜 비가 되고, 빗물은 다시 태양에 증발되
어 수증기로 변했다가 구름이 되고, 구름은 다시 비로 변해
한 바퀴 도는 것이 바로 자연의 윤회 현상이라고 한다. 또
한, 윤회(輪廻)를 부정하는 것은 인과응보 또는 원인과 결과
의 인과법칙을 부정하는 것이나 다름이 없다고 한다.

그러면서 이 윤회는 철저하게 스스로 지은 대로 받는다는
자업자득에 기초를 두고 있는데, 이는 스스로 착한 일을 하
였으면 착한 결과를 받고, 악한 일을 하였으면 악한 결과를
받는 자기책임적인 것이자 자기 스스로 지은 것은 결코 회
피할 수도 없고 누가 대신 받을 수도 없으며, 오로지 자기가
지은 업의 결과에 따라서 다른 세계로의 향상(向上)과 향하
(向下)가 가능할 뿐이라고 한다.

불교에서 말하는 성주괴공(成住壞空)은 우주의 윤회와 우주
가 탄생하고 소멸하기까지의 과정을 나타내는 것이라고 한
다.

그리고, 생명계의 이면에 존재하는 우주(宇宙)의 원리이자
곧 생명(生命)의 법칙이며, 그 자체로 세계는 창조, 유지, 파
괴를 거치면서 이 윤회(輪廻)에 의해 돌고 돈다고 하며, 모

든 존재의 현실이자 과거, 현재, 미래이자 인간의 운명과 삶은 어떠한 절대자가 정하는 숙명이 아닌, 스스로의 업(業)에 의해 스스로 만들어가는 창조적(創造的)과정을 뜻하는 것이라고 한다.

AskUp

&

대화

| AskUp Q&A | 1 | ~ | AskUp Q&A | 80 |

출처《https://www.bing.com/images/》

사람들의 집단적인 죽음은 카르마와 어떤 인연 관계인지

집단적인 죽음이 카르마와 어떤 관련이 있는지에 대해서는 다양한 관점이 있을 수 있습니다.

다음은 일반적으로 생각할 수 있는 몇 가지 관점입니다:

1. 집단적인 죽음과 집단적인 카르마 :

일부 신앙체계에서는 집단적인 죽음이 집단적인 카르마의 결과로 여겨질 수 있습니다. 이는 집단이 공동의 행동이나 경험을 공유하며, 그 결과로 인해 집단 전체에게 영향을 미치는 것으로 설명될 수 있습니다.

2. 인연(因緣)과 집단적인 죽음 :

집단적인 죽음은 그룹 내의 인연과도 관련이 있을 수 있습니다. 인연은 우리가 다른 사람들과 형성하는 관계를 의미하며, 그룹 내의 인연은 집단적인 죽음에 영향을 줄 수 있습니다. 예를 들어, 함께 경험을 나누고 협력하는 그룹의 구성원들은 서로에게 강한 인연을 형성하게 될 수 있습니다.

3. 집단적인 죽음의 사회적 영향과 카르마 :

집단적인 죽음은 사회적으로 큰 충격을 주는 사건일 수 있습니다. 이러한 사건은 사회적인 반응과 그에 따른 행동에 영향을 미칠 수 있으며, 이는 카르마의 개념과도 연결될 수 있습니다. 사람들의 행동과 의도는 사회적 반응을 형성하고, 그 결과로 카르마(Karma)가 형성될 수 있습니다.

카르마와 집단적인 죽음 간의 관계에 대해서는 다양한 신념과 철학이 존재하며, 개인의 관점과 신념에 따라 해석이 달라질 수 있습니다.

AskUp Q&A	2

사고로 죽은 사람과 카르마와 어떤 관계인지

불교(佛敎)에서는 사고로 죽은 사람들도 자신의 행동과 인연에 따라 그들의 카르마와 관련이 있다고 봅니다. 카르마는 불교에서 행동의 결과를 의미하며, 우리의 행동이 우리의 운명과 다음 생에 영향을 미친다고 믿습니다. 사고로 죽은 사람들은 그들의 이전의 행동과 인연을 토대로 그들의 카르마를 형성하게 됩니다. 그들이 이전 생에서 행한 선악의 행동이 그들의 운명과 다음 생에 영향을 미치게 되는 것입니다. 이는 불교의 인과관계와 윤회의 개념과 일치합니다.

불교에서는 우리가 행하는 모든 행동이 우리의 운명과 다음 생에 영향을 미친다고 믿으며, 이는 사고로 죽은 사람들에게도 적용됩니다. 그들의 카르마는 그들의 행동과 인연에 따라 형성되며, 다음 생에서 그 결과를 맞이하게 됩니다. 이는 죽음을 단순히 종료로 보는 것이 아니라, 인과관계와 윤회(輪迴)의 사이클 속에서 계속된다는 불교적인 시각을 반영합니다.

보충내용

교통 사고가 나서 내가 죽은 것은 카르마이다. 하지만 내가 태어나서 교통사고로 죽을 때까지 어떤 업을 수행하는데 그 하나 하나의 업을 수행할 때 나에게 상대적으로 선택권이 주어진다. 그러므로 같은 업 속에서 살더라도 다르게 살 수 있다. 바로 이와 같이 절대적 숙명인 카르마 속에서 상대적으로 선택하며 다르게 살 수 있는 권리, 이것이 바로 다르마(Dharma)이다. 산스크리트어로 '달마'라고도 한다. 한자 문화권에서는 법(法)이라고 번역한다.

내가 카르마 안에서 다르마(Dharma)를 어떻게 수행하느냐에 따라서 나의 삶은 달라진다. 다시 말해서 동일한 카르마라도 다르게 다르마(Dharma)를 수행할 수 있다. 즉 다르마는 나의 의지와 나의 선택에 의해서 상당히 다른 결과를 낳을 수 있다.

인간이 태어나서 카르마의 업 속에서 살지만 내가 선택과 의지로 다르마(Dharma)를 어떻게 실행하느냐에 따라서 다르게 살 수 있다.

이것이 인도 불교에서 말하는 숙명과 운명 즉 카르마와 다르마이다.

사고 현장에서 생존한 사람과 죽은 사람, 카르마와 인연과의 관련성은

생존한 사람과 사고로 죽은 사람 사이의 인연과 카르마에 대해 이야기해 드리겠습니다.

생존한 사람은 사고 현장에서 죽음을 피하고 생존한 것이므로, 그들은 그 사고의 결과로 인해 더 이상의 생명을 살아갈 수 있는 기회를 얻었습니다. 이는 그들의 인연(因緣)과 행동(行動)에 의해 결정되었을 수 있습니다. 그들이 이전의 행동과 인연을 통해 더 긍정적인 결과를 얻었거나, 그들이 적절한 조치를 취하여 사고로부터 벗어날 수 있었기 때문입니다.

반면에 사고로 죽은 사람들은 그들의 행동과 인연에 따라 그들 자신의 카르마(業)를 형성하게 되었습니다. 그들의 카르마는 그들의 이전 생에서의 행동과 인연에 의해 결정되었

으며, 그들이 사고로 인해 생명을 잃었을 것입니다.

따라서, 생존한 사람과 사고로 죽은 사람들 사이의 인연과 카르마는 그들의 행동과 결과에 따라 다를 수 있습니다. 생존한 사람은 더 긍정적인 결과를 얻고 삶을 계속할 수 있는 기회를 얻었으며, 사고로 죽은 사람들은 그들의 행동과 인연에 따라 죽음을 맞이하게 되었습니다.

이런 차이는 불교에서 우리의 행동(行動)과 인연(因緣)이 운명(運命)과 다음 생(生)에 어떻게 영향을 미치는지를 강조하는 개념과 일치합니다.

보충내용

자연은 인간이 자기에게 필요한 경험과 교훈을 얻을 수 있는 최적의 시간, 장소, 상황으로 그를 몰아넣습니다. 따라서 내가 현재 상황에 처해있는 이유는 나에게 꼭 필요한 일이기 때문에, 나의 지난 행동에 따른 당연한 결과이기 때문이라고 해석할 수 있습니다. 그럴 수 밖에 없었기 때문에 그런 일이 일어난 것입니다.

출처《「환생, 카르마 그리고 죽음 이후의 삶」맨리 p.홀
옮긴이 윤민+남기종 마름돌 2019.4.1.》

거리를 지나가다 건물에서 떨어진 물건을 맞고 죽는 경우, 인연과 카르마의 연관성은

건물에서 떨어진 물건에 맞아 죽는 경우, 그 인연과 카르마는 다양한 요소에 연관될 수 있습니다.

불교(佛敎)에서는 모든 사건과 결과는 단순한 우연(偶然)이 아닌 인연(因緣)과 카르마(業)에 의해 형성된다고 믿습니다. 이러한 상황에서의 인연과 카르마(Karma)는 여러 가지 가능성이 있습니다.

예를 들어, 그 건물에서 떨어진 물건이 그 사람에게 떨어진 것은 우연이 아닌, 그들의 이전 생에서의 행동과 인연에 의해 결정될 수 있습니다. 그들이 이전 생에서 다른 사람들에게 해를 끼치거나 부정적인 행동을 했을 때, 이러한 결과를 맞이할 수 있게 된 것입니다.

또는 그들이 현재(現在) 생에서 특정한 경험을 하거나 배우기 위해 이러한 사건을 경험하게 될 수도 있습니다. 이는 그들의 성장과 깨달음을 위한 과정(過程)으로 볼 수 있습니다. 이러한 관점에서는 그들의 인연과 카르마는 그들의 성장과 진화를 위한 도전과 기회로 해석될 수 있습니다.

하지만, 불교에서는 개개인의 인연과 카르마를 정확히 판단

하거나 해석하는 것은 어렵다고 합니다. 인연과 카르마는 복잡하고 다양한 요소들의 상호작용으로 형성되기 때문입니다. 따라서, 어떤 사건이든 단일한 인연과 카르마에 귀속되는 것보다는, 그것이 우리의 행동과 인연의 결과로서 일어나는 일부라고 생각됩니다.

보충내용

해당 사건이 내 인생에 큰 영향을 미친 것이 아니라면 그것을 일일이 카르마 법칙과 연관해 생각할 필요는 없습니다. 그런데 노인의 경우 많은 분들이 목욕탕 같은 곳에서 넘어져 고관절로 고생하다 임종을 맞기도 합니다. 이것 역시 근인으로 보면 고령에 따른 부주의로 발생한 사고라고 할 수 있습니다. 그러나 카르마 법칙에 의거해 원인을 살펴보면 그는 이번 생을 마감할 때 고관절 골절을 통해 죽음을 맞이하는 것으로 계획하고 왔을 가능성이 큽니다. 그러니까 임종에 이르는 수단으로 고관절 골절을 선택한 것이라는 말입니다. 우리가 늙어서 병으로 사망할 경우 병 때문에 죽었다고 말하는 것보다는 병을 수단으로 삼아 임종을 맞이했다고 보는 것이 타당할 듯합니다. 이런 시각으로 보면 인생의 마지막 단계에서 겪는 암 같은 질병들은 우리를 임종의 세계로 안내하는 매개 역할을 한다고 할 수 있겠습니다.

출처 《「너무 늦기 전에 들어야 할 **카르마 강의**」 최준식 김영사
2021.6.30.》

이태원 참사 , 카르마와 인연과의 연관성은

이태원 참사와 같은 사건은 카르마와 인연의 관계를 설명하기에는 복잡(複雜)하고 다양(多樣)한 해석이 가능합니다. 카르마와 인연은 개인의 신념과 철학에 따라 해석되는 것이기 때문에, 다른 사람들 간에도 이에 대한 의견이 분분할 수 있습니다.

한 가지 가능한 해석은, 이태원 참사와 같은 비극적인 사건이 과거의 행동과 관련되어 있다고 볼 수 있습니다. 카르마의 원리에 따라, 이 사건의 피해자나 가해자가 과거(過去)의 행동에 기인한 결과로써 이를 경험하게 된 것일 수 있습니다. 그러나 이는 개인적인 신념이며, 실제 사건의 복잡성을 이론으로 간단히 설명하는 것은 어렵습니다.

인연의 관점에서 볼 때, 이태원 참사는 다양한 사람들 간의 인연(因緣)과 상호작용(相互作用)으로 이루어진 결과물이라고 볼 수 있습니다. 이 사건의 피해자, 가해자, 목격자, 구조자 등 다양한 인연이 이어져 있었고, 이들의 상호작용과 선택(選擇)이 이 사건을 형성하게 된 것입니다.

그러나 이러한 해석은 개인적인 의견에 기반하며, 이 사건에 대한 정확한 인과관계를 말할 수 없습니다. 이태원 참사와 같은 비극적인 사건은 다양한 요인(要因)과 복잡성이 포함되어 있기 때문에, 우리가 실제로 이해할 수 있는 범주를 벗어납니다.

공업(共業)이라는 것이 있습니다. 이 개념은 전통 불교에도 나옵니다. 그 업을 지은 사람에게만 국한되는 개인적인 카르마와 달리 여러 사람이 같이 업을 지을 경우 이것을 공업이라고 합니다. 이 경우 공과(共課), 즉 과보도 같이 받는다고 합니다. 공업을 이야기할 때 가장 많이 드는 예는 비행기 추락 같은 큰 사고입니다.

이 같은 사고로 많은 사람들이 동시에 사망하면 이것은 그들에게 동시에 같이 죽을 카르마가 있었기 때문에 생긴 사건이라고 말합니다. 카르마 이론의 입장에서 이와 같이 설명하는 것이 이해되기는 하지만 그래도 그냥 받아들이기에는 주저되는 부분이 있습니다. 한 개인이 사고로 죽는 것은 그의 개인적인 카르마로 설명할 수 있지만 수백 명이 동시에 한 비행기를 타서 죽는 것은 설명이 어렵습니다. 그렇다고 그냥 우연이라고 간주하자니 '모든 것에는 원인이 있다.'라는 카르마 법칙에 어긋납니다. 이렇듯 카르마 법칙과 그 운용 양상을 완전하게 이해하고 해석하는 일은 쉽지 않습니다. 그런데 공업으로 인해 발생한 사건에서도 개인적인 카르마가 작동하여 해당 사고를 피한 사람도 있습니다.

출처《「너무 늦기 전에 들어야 할 **카르마 강의**」최준식 김영사 2021.6.30.》

공업(共業)으로 인해 발생한 사건에서 개인적인 카르마가 작동하여 해당 사고를 피한 **직접적인 체험** ➜

내가 예전에(1981년 가을 즈음) 군대생활(육군)을 할 때 발생한 일이다. 훈련을 마치고 군대 트럭 뒤쪽에 호로 쳐 있는 짐칸 쪽에 약 20명 정도의 인원이 타고 훈련을 마치고 부대로 복귀하고 있었다. 물론 저도 같이 트럭에 타고 있었습니다. 그때 갑자기 중대장으로부터 무전이 와서 (그 당시 나는 무전병 임무까지 맡아서 하고 있었다) "기소 빨리! 중대장에게로 홍길동! 해주기 바란다 이상!." 이라고 무전이 와서 내가 중대장에게로 지금 빨리 가야 하니 트럭을 잠깐 세워달라고 앞 운전석 옆에 타고 있는 소대장에게 허락을 받아 차를 세우고 중대장이 타고 있는 차로 같이 탑승하여 숙소로 무사히 복귀하였다. 숙소에서 세면을 하고 저녁 식사를 마쳤는데도 내가 탔던 트럭이 오지 않고 있었다. 몇 시간 지나서야 그 소식을 들었는데 운전병의 실수로 트럭이 20m이상 되는 절벽으로 트럭이 떨어져 9명 이상이 즉사하고 나머지 부대원들은 매우 큰 부상을 당했다고 하였다. 이 사고는 내가 트럭에서 내리고 나서 잠시 후에 벌어진 일이었다. 생각해보면 내가 탔던 트럭에서 나만 무사히 숙소로 돌아온 셈이었다.

아무리 생각해봐도 도저히! 나의 머리로 이해할 수 없는 사건이었다. 지금 생각해봐도 도저히! 이해가 되지 않는 사건이었다. 이 사건을 이해할 수 있는 유일한 방법으로는 '카르마' 로 해석할 수밖에 없는 것 같다. 개인적인 카르마가 작용 되었던 것은 아닐까? 하는 생각 뿐이다.

출처 《생각하며 실천하는 삶을 통한 **일상생활, 건강한 나의 역사 만들기** 우재 윤필수 부크크 2023.7.17.》

AskUp Q&A	6

오송 지하차도 참사 사건, 카르마와 인연과의 관련성이 있는지

카르마와 인연의 관점에서 오송지하차도 참사의 원인과 결과를 설명하려면, 우선적으로 강조해야 할 점은 카르마와 인연은 개인들의 행동과 그에 대한 결과를 설명하는 개념이지만, 이 사건에 대한 정확한 원인과 결과를 제공하기에는 한계가 있다는 점입니다. 이는 비극적인 사건의 복잡성과 다양한 요인들을 이론으로 단순하게 설명하기 어렵기 때문입니다. 그럼에도 불구하고, 일반적인 개념을 적용해 보자면 다음과 같이 설명할 수 있습니다.

카르마의 관점에서 볼 때, 오송지하차도 참사의 원인은 과거의 행동에 기인한 결과라고 볼 수 있습니다.

예를 들어, 사건에 연루된 개인들의 과거 행동이 균형을 깨뜨리거나 부정적인 영향을 미쳤을 수 있습니다. 이로 인해 이 사건이 발생하게 되었을 것입니다. 또한, 참사가 발생한 후에도 피해자와 가해자 간의 카르마적 상호작용이 발생할 수 있습니다. 가해자가 자신의 행동에 대해 책임을 느끼고 변화를 이루는 등 카르마(Karma)의 원리(原理)에 따라 행동에 대한 결과를 경험하게 될 수 있습니다.

인연(因緣)의 관점에서 볼 때, 오송 지하차도 참사는 다양한 인연과 상호작용(相互作用)으로 이루어진 결과물이라고 볼 수 있습니다. 이 사건에 연루된 사람들 사이의 인연이 이 사건을 형성하게 되었고, 그들의 행동과 선택이 이를 이끌어 냈습니다.

또한, 이 사건은 후속적인 인연(因緣)과 상호작용(相互作用)을 초래할 수 있으며, 이로 인해 개인들의 성장과 배움을 이루게 될 수 있습니다.

하지만 다시 강조하자면, 이러한 해석은 개인의 신념과 해석에 따라 다양하게 이해될 수 있습니다. 오송지하차도 참사와 같은 사건은 많은 요인(要因)들이 복잡(複雜)하게 얽혀 있기 때문에, 우리가 실제로 이해할 수 있는 범주를 벗어난다는 점을 염두에 두어야 합니다.

총체적으로 카르마와 인연의 연관성은

카르마(業)와 인연(因緣)은 서로 연관된 개념입니다. 카르마는 행동(行動)의 결과를 의미하는데, 과거(過去)의 행동이 현재(現在)와 미래(未來)에 영향을 미친다고 믿어지고 있습니다. 이는 개인이 이전에 행한 행동들이 그들의 경험과 성격에 영향을 미치며, 그에 따라 현재와 미래의 상황(狀況)과 결과(結果)를 형성한다는 의미입니다.

인연은 사람들 간의 관계와 상호작용을 의미하며, 이는 카르마와 밀접한 관련이 있습니다. 우리는 이전에 만난 사람들과의 관계와 상호작용을 통해 현재의 상황과 결과를 형성하게 됩니다. 이전의 인연은 현재의 상황과 행동에 영향을 미칠 수 있으며, 이는 카르마의 개념과 유사합니다.

따라서, 카르마(Karma)와 인연(因緣)은 개인의 행동과 그에 따른 결과, 그리고 사람들 간의 관계와 상호작용 사이의 연관성을 나타내는 개념으로 볼 수 있습니다. 그러나 이는 종교적, 철학적인 관점에서 해석될 수 있으며, 다양한 문화와 신념 체계에 따라 해석이 달라질 수 있습니다.

인간으로 태어난 이상 그 누구도 벗어날 수 없는 Karma(業)의 고리이며 Karma의 고리는 인연(因緣)의 씨줄과 날줄로 엮여있다. 카르마와 인연(因緣), 인간사(人間事)는 모두 여기서 발생한다.

인간은 지구에 태어날 때 사주를 갖고 나온다. 저마다 타고난 프로그램을 가지고 태어난다고 한다. 우리 인간은 태어난 순간부터 죽을 때까지 본인의 프로그램대로 진행되어 가고, 그 속에는 수많은 체험과 본인이 만나야 할 인연(因緣)들이 세팅되어 있다.

우리의 모든 체험들은 큰 틀에서 각자가 가지고 나온 프로그램대로 겪게 되고 인간은 그 체험을 통해 깨달음을 얻게 된다. 이것이 우리가 지구에 태어나는 근본적인 이유 중 하나이다.

우리의 카르마라는 것이 참으로 불공평한 듯 보이지만 한 치의 오차 없이 공평하게 세팅되어있다. 카르마는 각자의 근기에 맞게 세팅되어 있으며 누구에게나 반드시 넘어야 할 장애물들로 세팅되어 있다.

카르마의 인연은 전생의 사건이 현생으로 이어지면서 엮이는 관계이다. 전생의 특정 사건에 연루된 인연들이 이번생에 모두 만나 다시 풀지 못한 이야기를 전개시키는 것이다.

전생 이야기는 현생의 관계로 이어진다. 마치 끝나지

않은 드라마를 이어가듯 전생의 인연은 현생에 역할 바
꾸어 다시 세팅된다. 카르마와 인연은 3차원적 생활에
긴밀히 연결된 가족이나 연인, 친구의 관계로 많이 형성
되곤 한다.

출처《지혜와 통찰의 서 「카르마와 인연법」 태라전난영 지식공감
2022.7.22. 》

AskUp Q&A	8

사람들의 일반적인 죽음, 카르마와 인연과의 연관성은

 사람의 죽음에 대해서도 카르마와 인연의 연관성을 생각해
볼 수 있습니다.

 카르마는 개인(個人)의 행동(行動)과 그에 대한 결과(結果)를
의미하는데, 이는 개인의 생애 동안 쌓인 행동들이 그들의
현재와 미래에 영향(影響)을 미친다는 개념입니다.
개인의 행동은 삶의 여러 측면에 영향을 미칠 수 있으며, 이
는 죽음에 대해서도 마찬가지입니다.

 예를 들어, 어떤 사람이 자신의 삶 동안 선의로 행동하고 도
덕적인 가치를 추구한다면, 그들은 자신의 죽음에도 평온하

고 행복한 상태로 떠날 수 있을 것입니다. 이는 그들의 카르마로부터 나온 결과로 볼 수 있습니다.

또한, 인연(因緣)의 관점에서 볼 때, 죽음은 사람들 간의 관계와 상호작용의 종료를 의미합니다. 우리는 삶 동안 다양(多樣)한 인연을 형성하고 유지하며, 이러한 인연(因緣)들은 죽음에 영향을 미칠 수 있습니다. 예를 들어, 가족이나 친구와의 깊은 인연이 있는 사람은 그들의 죽음에 이들과의 관계에서 오는 감정적인 지지와 위로를 받을 수 있을 것입니다.

하지만 카르마와 인연은 종교, 철학, 문화에 따라 다양하게 해석될 수 있으며, 개인의 신념과 철학에 따라 달라질 수 있습니다. 따라서 사람의 죽음에 대한 카르마와 인연의 연관성은 다양한 시각에서 이해될 수 있습니다.

보충내용

만남만큼 이별은 중요하다. 만남이 인연과 인연의 에너지를 연결하는 것이라면, 이별은 에너지를 떼어내는 것이다. 인연과 인연이 만나면 새로운 창조가 이루어지지만 헤어질 때는 파괴의 에너지가 감돈다. 그래서 만남만큼이나 이별하는 방법은 매우 중요하다.

단순한 이별뿐만이 아니라 죽은자의 경우에도 남아 있는 사람들이 불잡고 늘어지면 죽은 자의 영혼은 저승길을

73

가고 싶어도 못간다. 죽은 자에 대한 예의는 깨끗하게 잊어주는 것이다. 상대를 걱정한다고 상대가 잘 풀리는 것은 아니다. 걱정은 상대의 에너지를 붙잡아 두는 것이다. 상대와 연결되었던 콘센트가 빠지면서 에너지원이 단절되어 당장은 죽는 것처럼 느껴지더라도 시간이 흐르면 에너지는 다시 복원될 것이다.

출처 《지혜와 통찰의 서 「카르마와 인연법」 태라전난영 지식공감 2022.7.22. 》

AskUp Q&A	9

갑작스런 죽음, 카르마와 인연과의 연관성은

사람의 갑작스런 죽음에 대한 카르마와 인연의 연관성은 종종 종교, 철학 및 신념 체계에 따라 다르게 해석될 수 있습니다.

카르마(Karma)는 행위(行爲)의 결과로서 생각, 말, 행동의 법칙을 의미합니다. 일부 신앙체계에서는 갑작스러운 죽음을 카르마의 결과로 간주할 수 있으며, 이전 생애의 행위에 의해 현재 생애에서 경험하는 결과로 이해될 수도 있습니다.

또한 인연(因緣)은 우리가 다른 사람들과 가지는 연결이며, 이전 생애나 현재 생애에서의 인연을 통해 우리는 서로에게 영향을 미치고 영향을 받는다고 믿을 수 있습니다. 따라서 갑작스러운 죽음은 때로는 우리와의 인연(因緣)이 끊어지는 순간(瞬間)으로 해석될 수 있습니다.

그러나 이러한 주제는 개인의 신념과 관점에 따라 다르게 이해될 수 있으며, 종교 및 철학적인 관점에 따라 다양한 해석이 있을 수 있습니다.

AskUp Q&A	10

죽을 수 있는 상황에서 살아남은 사람은 죽은 사람과의 카르마와 인연의 연관성은

죽을 수 있는 상황(狀況)에서의 생사는 카르마와 인연과 직접적으로 연결되어 있다고 말하기는 어렵습니다. 카르마는 인생의 원인과 결과에 대한 개념으로, 행동과 행위에 따라 미래의 결과가 형성된다고 믿어지는 것입니다. 인연(因緣)은 우리가 다른 사람들과 형성하는 관계를 의미합니다.

사람들이 죽음에서 살아남거나 살아남지 못하는 것은 다양한 요인에 의해 결정됩니다. 예를 들어, 신체적인 요인, 환경적인 요소, 운이나 우연, 대처 능력 등이 그 영향을 미칠 수 있습니다. 이러한 요인들은 카르마와 인연과는 개념적으로 다른 영역에 속하는 것이기 때문에, 직접적인 연관성을 찾기는 어렵습니다.

인연과 카르마(Karma)는 복잡하고 다양한 종류가 있습니다. 간단히 설명하면 다음과 같습니다:

1. 인연 (Karmic Connections):

- 선생과 제자의 인연: 과거 생애에서 선생과 제자의 관계를 형성하고 지속될 수 있습니다.
- 가족 인연: 가족 간의 연결은 과거 생애에서의 인연에 기초합니다.
- 친구나 연인의 인연: 서로를 만나고 형성된 관계는 인연에 의해 이루어질 수 있습니다.

2. 카르마 (Karma):

- 행위적 카르마: 우리의 행동과 행위에 따라 미래의 결과가 형성됩니다.
- 인지적 카르마: 우리의 생각과 의식에 따라 우리의 경험과 성장이 형성됩니다.
- 말소된 카르마: 과거의 카르마들이 아직 완전히 해결되지 않았을 때 영향을 주기도 합니다.

이는 일부 카르마와 인연의 종류(種類)에 대한 간략한 설명이며, 더욱 복잡하고 다양한 형태가 존재합니다.

따라서, 죽음과 생존은 카르마와 인연에 의해 완전히 결정되는 것이 아니라 다양(多樣)한 요인(要因)들이 함께 작용하여 결정(決定)되는 것으로 이해하는 것이 적절합니다.

인간의 죽음과 인연과의 관련성은

일반적으로, 죽음과 인연(因緣)은 관련이 있을 수 있습니다. 인연은 우리가 다른 사람들과 형성하는 관계(關係)를 의미하며, 이는 삶과 사망(死亡)을 통해 이어질 수 있습니다.

예를 들어, 우리는 가족, 친구, 연인 등과의 강한 인연을 형성할 수 있습니다. 이러한 인연은 죽음에 이르더라도 우리의 기억 속에 남아 계속해서 우리에게 영향을 줄 수 있습니다. 또한, 죽음으로 인해 우리가 사랑하는 사람을 잃는 경우, 그로 인한 슬픔과 아픔도 인연(因緣)의 일부로 볼 수 있습니다.

그러나 죽음과 인연이 항상 직접적으로 연결되는 것은 아닙니다. 죽음은 모든 생명의 일부이며, 우리는 다양한 인연을 형성하고 이어나가지만, 죽음은 그 인연의 끝을 의미하기도 합니다. 따라서 죽음과 인연은 개인의 신념과 관점에 따라 다르게 이해될 수 있습니다.

인간의 죽음과 카르마와의 관련성은

카르마(Karma,業)와 죽음 사이에는 연관성이 있을 수 있습니다. 카르마는 행동의 결과물이라고 생각할 수 있으며, 우리의 행동과 행위는 우리의 미래(未來)에 영향을 줄 수 있습니다. 이러한 관점에서 보면, 우리의 행동과 행위는 삶과 사망의 과정(過程)에 영향을 미칠 수 있습니다.

예를 들어, 과거에 우리가 다른 사람들에게 해를 가했거나 부정한 행동을 했다면, 그것은 우리의 카르마에 해당합니다. 이러한 카르마는 우리의 삶과 사망의 과정에서 우리에게 영향을 미칠 수 있습니다. 삶의 여정에서 우리는 카르마의 결과(結果)를 맛보거나 경험할 수 있으며, 때로는 죽음과 관련된 상황(狀況)에서도 그 영향(影響)을 받을 수 있습니다.

그러나 이는 개인의 신념과 철학에 따라 다르게 이해될 수 있습니다. 카르마와 죽음 사이의 관계는 복잡하고 다양하며, 각각의 개인적인 경험과 신념에 따라 해석될 수 있습니다.

보충내용

죽어가는 사람은 처음에 손발과 근육의 감각이 둔해지는 것을 안다. 심장이 답답해지면서 숨이 막혀온다. 심장이 없으면 폐가 기능하지 못하기 때문이다. 숨이 막히는 것을 느낌과 동시에 2~3초쯤 심한 통증으로 괴로워하다가 곧장 죽음에 대한 공포에 사로잡힌다. 그 이유는 사람의 영혼이 여러 번 환생을 거듭하면서 낡은 몸으로부터 어린아이 몸으로 건너가는 경험을 피할 수 없는데, 그때마다 숨이 막혔던 것이 기억나기 때문이다. 바로 그 고통에 대한 기억이 죽음을 무서워하게 만드는 것이다.

물질 지구에서는 부모가 아이를 선택하는 것처럼 보이지만 영(靈)적으로 보자면 아이가 부모를 선택하는 것이다.

그래서 그리이스 신화에서는 큐피드(Cupid)가 어린아이로 상징되며, 아이가 사랑하는 연인(戀人)을 연결시켜 주는 것으로 나타난다. 자신의 부모 연(緣)을 연결하는 것이 아이라는 뜻인데, 아이는 처음 태어날 때 자신의 복록(福錄)을 찾아 들어온다. 복록(福錄)이 없다면 그만큼 없는 부모를 찾아 들어오고 복록(福錄)이 있다면 그만큼 있는 부모를 찾아 들어올 것이다. 자신이 이번 생에 받아야할 복록(福錄)이 초년에 세팅되어 있다면 잘사는 부모 밑에 태어나게 될 것이다.

출처《「카르마와 환생」 파라마한사 요가난다 옮긴이 이현주 도서출판 삼인 2022.12.15》

출처《지혜와 통찰의 서「카르마와 인연법」태라전난영 지식공감 2022.7.22. 》

AskUp Q&A	13

죽을 수 있는 상황에서 살아남은 사람은 죽음과 인연이 없는 것인가

죽을 수 있는 상황(狀況)에서 살아남은 사람들도 여전히 죽음과 인연(因緣)을 가지고 있을 수 있습니다. 죽음과 인연은 단지 죽음에 직면한 상황에서 살아남은 사람들에게만 해당하는 것이 아니라, 모든 삶의 경험과 연결되어 있습니다.

인연은 우리가 다른 사람들과 형성(形成)하는 관계(關係)를 의미하며, 이는 삶의 여러 측면(側面)에서 나타날 수 있습니다. 우리는 가족, 친구, 연인, 동료 등과의 강한 인연(因緣)을 형성(形成)할 수 있습니다. 이러한 인연은 죽음의 위기에서 살아남는 것과는 별개(別個)로 지속(持續)될 수 있습니다.
또한, 살아남은 사람들이 죽음의 위기를 겪은 경험(經驗)은 그들의 삶에 영향을 미칠 수 있습니다. 이러한 경험은 그들의 성장, 변화, 용기 등을 형성하는 데 영향(影響)을 줄 수 있으며, 이는 인연과도 관련이 있을 수 있습니다.

따라서, 죽을 수 있는 상황에서 살아남은 사람들도 여전히 죽음과 인연을 가지고 있을 수 있으며, 이는 개인의 신념과 경험에 따라 다르게 이해될 수 있습니다.

보충내용

존재(存在)하는 것에 존재 이유(理由)가 없다는 것은 말이 안됩니다. 목표(目標)를 가진 것은 목표를 향해 나아가면서 계속 진화하고, 그 과정에서 존재의 이유를 계속 드러냅니다. 진정으로 파괴되는 것은 없습니다. 사라지는 것도 없습니다. 으미 없는 교훈은 없습니다. 가치없는 고통도 없습니다.모든 일에 배후에 의미가 담겨 있습니다.

출처 《「환생, 카르마 그리고 죽음 이후의 삶」맨리 p.홀 옮긴이 윤민+남기종 마름돌 2019.4.1.》

AskUp Q&A	14

장애인으로 사는 것, 카르마와 인연과의 관련성은

장애인(障礙人)으로 살아가는 것도 인연(因緣)과 카르마(業)와 관련이 있을 수 있습니다.

인연은 우리가 다른 사람들과 형성하는 관계뿐만 아니라, 우리의 삶의 여러 측면에 영향을 미치는 것을 의미합니다. 장애(障礙)는 우리의 신체적, 정신적 또는 인지적 능력에 제한을 가지게 될 수 있는 상황(狀況)을 말합니다. 이러한 제한은 우리의 삶에 큰 영향(影響)을 미칠 수 있으며, 따라서 인연(因緣)과 연결(連結)될 수 있습니다.

장애인으로 태어난 경우, 그것은 우리의 카르마의 결과로 볼 수 있습니다. 카르마(Karma)는 우리의 행동과 행위에 따라 형성되는 결과물이라고 생각할 수 있으며, 이는 우리가 태어날 때부터 우리의 삶의 조건을 형성하는 데 영향을 줄 수 있습니다.

　그러나 장애(障礙)는 개인의 카르마뿐만 아니라, 다양한 요소와 상호작용하여 형성되기도 합니다. 장애를 가진 사람들은 그들의 삶을 적극적으로 살아가며, 장애에 대한 태도와 사회적 환경 등 여러 가지 요인(要因)이 그들의 삶에 영향을 미칩니다.

　결국, 장애인으로 살아가는 것도 인연과 카르마와 연관이 있을 수 있지만, 이는 개인의 신념과 경험에 따라 다르게 이해될 수 있습니다. 중요한 것은 우리 모두가 서로를 이해(理解)하고 존중하는 것이며, 모든 인간은 고유한 인연과 카르마를 가지고 있다는 점입니다.

보충내용

인간은 영혼을 가진 존재라는 영적 관점에서 보면, 장애의 원인은 분명히 존재하고 원인을 알면 저절로 자책하거나 우울한 마음이 사라지고 삶을 통찰할 수 있게 됩니다. 영적인 관점에서 보통 장애의 원인으로 '아이가 전생에서 죄를 지었기 때문에 현생에서 벌을 받는 것이다.' 하고 얘기하는 경우가 있습니다. 즉 전생에서의 카르마가 현생에서 발현되어 영적 균형을 회복하기 위해 그 업을 진다고 보는 것입니다. 우리나라는 불교의영향으로 장애를 전생의 업보, 즉 개인의 잘못 때문이라고 생각하는 경향이 있는 것 같습니다. 불경에서 업보와 관련한

내용을 보면, "불법승 삼보를 훼방하여 눈멀고 귀먹고 벙어리의 과보를 받는다." 등이 있습니다(대반열반경) 이 구절만 봤을 때는 전생(前生)의 업보(業報)가 장애인으로 태어나는 원인으로 작용한다고 해석할 수도 있습니다.

힌두교에서도 "선업(善業)을 쌓으면 내세에는 더 존귀한 신분으로 태어나고, 악업(惡業)을 쌓으면 내세에는 더 비천한 신분으로 태어난다" 고 봅니다.

전문가들의 일반적인 답은 일단 장애(障礙)는 당사자가 태어나기 전(前)에 결정(決定)하여 온다는 것입니다. 이번 생에 내가 어떤 장애를 겪을지를 미리 정하고 온다는 것이지요. 믿기 힘든 이야기지만 당사자가 그렇게 정하는 이유는 그 장애를 가짐으로써 자신이 지은 카르마(業)를 해소(解消)할 수 있기 때문이라고 합니다.

출처《「너무 늦기 전에 들어야 할 **카르마 강의**」최준식 김영사 2021.6.30.》

AskUp Q&A	15

부모보다 자식이 먼저 죽음으로 가는 것, 카르마와 인연과의 관련성은

부모(父母)보다 자식(子息)이 일찍 저세상으로 가는 것은 카르마(Karma)와 인연(因緣)과 관련이 있을 수 있습니다.

그러나 이는 매우 복잡(複雜)하고 다양(多樣)한 요소에 영향을 받기 때문에 절대적인 해답은 없습니다.

카르마(業)는 행동의 결과물로 이해될 수 있으며, 이는 과거와 현재의 행동이 우리의 미래에 영향을 미친다는 개념입니다. 따라서, 부모와 자식 사이에서 발생하는 일찍 떠나는 상황(狀況)은 이전(以前)에 형성(形成)된 카르마(Karma)의 결과(結果)로 볼 수 있습니다.

또한, 인연(因緣)은 우리가 다른 사람들과 형성하는 관계를 의미하며, 가족 간의 인연 역시 그 중 하나입니다. 부모와 자식 간의 인연은 특별하고 강력한 연결을 가지고 있습니다. 때로는 부모와 자식 간의 인연이 일찍 떠나는 상황을 초래할 수도 있습니다.

그러나 이러한 상황은 카르마와 인연 이외에도 다양(多樣)한 요소(要素)에 영향을 받을 수 있습니다. 유전적인 요인, 질병, 사고 등 여러 가지 외부 요인이 빠른 죽음에 영향을 줄 수 있습니다.

따라서, 부모보다 자식이 일찍 떠나는 상황은 카르마와 인연과 관련이 있을 수 있지만, 이는 매우 개인적인 경험과 신념에 따라 다르게 이해될 수 있습니다. 중요한 것은 서로를 이해하고 위로해 주며, 모든 인간의 삶과 죽음은 그들만의 독특(獨特)한 이야기를 가지고 있다는 점입니다.

세상에서 일어나는 안 좋은 일들은 우리가 그간 쌓아온 부정적인 카르마가 육신에 작용하는 현상에 불과합니다. 우리가 부당하다고 느끼는 일, 억울하다고 생각되는 일도 자세히, 깊게 따져보면 정당하다는 것을 알 수 있습니다. 물질세상의 제약을 받는 한정된 시각으로 보면 억울하게 느껴질 수 있지만, 그럴만한 원인이 분명히 있었기 때문에 필연적으로 일어난 일입니다.

출처 《「환생,카르마 그리고 죽음 이후의 삶」 맨리 p.홀 옮긴이 윤민+남기종 마름돌 2019.4.1.》

케이시 리딩의 말들에 따라 밝혀지는 것은 부모와 자식의 관계는 어떤 것이든 우연한 관계로 볼 수가 없다는 것이다. 대개 어떤 경우에나 부모의 한쪽 또는 양쪽에 전생(前生)으로부터의 인연(因緣)이 있다.

케이시 파일에는 자식이 부모 가운데 한쪽에는 카르마의 유대를 가지고 있지만 다른 쪽에는 가지고 있지 않은 경우도 몇 가지가 있다. 그런 경우에는 현생에서 처음으로 부모 자식 관계를 맺은 쪽은 냉담(冷淡)해지는 경향(傾向)이 있다.

태어나는 아이는 부모를 자유롭게 선택할 수 있다는 견해를 케이시 리딩은 상당히 잘 입증해주고 있다. 아무튼 부모의 선택은 태어나려는 영혼의 특권인 것처럼 여겨진다. 사람은 많은 경우에 목적 달성할 수 있는 길이라고 여겨지면 고통스러운 길도 선택하는 것이다. 다이어트를 위해 힘든 운동도 감수하듯이, 영혼도 이와 같은 상황에 있을 수가 있는 것이다.

인간의 자유 의지에 따라 미래의 일들을 모두 예견할 수 있는 것은 아니다. 따라서 어떤 영혼(靈魂)은 태어난 후에 자기가 태어나기 전에 가졌던 기대(期待)에 부모가 따라 줄 것 같지 않다는 것을 발견(發見)할지도 모른다. 그런 때에는 영혼이 자기가 태어난 내적 목적이 예상과는 다른 환경 때문에 달성되지 못할 것임을 깨닫고 물러가 버리는 것이다.

이것을 뒷받침 해주는 실예로 전생에서 아주 일찍이 죽었다는 한 소녀의 경우도 있었다. 리딩은 이런 일이 별로 특별한 현상이 아님을 매우 분명하게 지적해 준다. 이렇게 본다면 어려서 죽는 경우는 말하자면 영화를 보러 갔다가 그 영화가 기대한 것과는 달리 재미가 없어서 조금 보다가 영화관을 나오고 마는 것과 같다. 어떤 경우에는 위에서 본 예처럼 이런 경위가 부모의 행동(行動)에서 비롯되는 것일지도 모른다. 그러나 또 어떤 경우에는 태어나는 영혼의 판단(判斷)이 잘못되었기 때문인지도 모른다.

때로는 어린아이의 죽음은 부모가 슬픔의 경험(經驗)을 맛볼 필요(必要)가 있기 때문이라고 해석될지도 모른다. 그 아이는 부모가 자신들의 영혼의 성장을 위해 필요한 고통을 경험하는 것을 돕기 위하여 그저 잠시 동안 희생적 정신으로 지상에 나타날 수도 있는 것이다.

출처 《「윤회 행복한 삶을 위한 마음공부」 지나서미나라 옮긴이 강태헌 도서출판 파피에 2020.11.3.》

친한 친구가 젊은 나이에 일찍 죽음으로 가는 것, 카르마와 인연과의 관련성은

친한 친구가 젊어서 일찍 저세상에 가는 것은 인연과 카르마와 연관이 있을 수 있습니다.

인연(因緣)은 우리가 다른 사람들과 형성하는 관계를 의미하며, 친한 친구와의 인연은 특히 강력하고 특별한 연결을 가질 수 있습니다. 때로는 우리가 서로를 만나고 함께 시간(時間)을 보내며, 서로에게 영향을 주고 받는 것이 인연의 결과(結果)일 수 있습니다.

카르마는 우리의 행동과 행위에 따라 형성되는 결과물로 이해(理解)될 수 있습니다. 따라서, 친한 친구가 젊어서 일찍 떠나는 상황은 그들의 카르마의 결과로 해석될 수 있습니다. 예를 들어, 이전(以前)에 행해진 행동(行動)이나 선택(選擇)이 그들의 삶에 영향을 미쳤을 수 있습니다.

그러나 젊은 나이에 일찍 떠나는 상황은 여러 가지 외부 요인에 의해 발생할 수도 있습니다. 질병, 사고, 유전적인 요인 등이 그 원인이 될 수 있습니다. 이러한 요인은 개인의 카르마와 인연 이외에도 영향을 줄 수 있습니다.

따라서, 친한 친구가 젊어서 일찍 떠나는 상황(狀況)은 인연과 카르마와 연관이 있을 수 있지만, 이는 매우 개인적인 경험과 신념에 따라 다르게 이해될 수 있습니다. 중요한 것은 그들을 기억하고 그들의 삶과 이야기를 존중하는 것입니다.

보충내용

> 육신이 죽는다고 해서 그 안에 있던 생명까지 함께 죽는다는 근거는 없습니다. 인생은 불멸의 영혼이 일정한 수명을 가진 육신을 잠시 의복으로 착용한 상태에 비유할 수 있습니다. 시간이 흘러 육신이라는 옷이 낡아 떨어지더라도 영혼은 사라지지 않습니다.
> 환생의 가르침이 우리에게 전하는 핵심은 도덕의 중요성입니다.

출처《「환생, 카르마 그리고 죽음 이후의 삶」맨리 p.홀 옮긴이 윤민+남기종 마름돌 2019.4.1.》

AskUp Q&A 17

군대에서 동료가 (총기)사고로 죽은 것, 카르마와 인연과의 관련성은

군대에서 동료가 사고로 인해 죽음을 맞이하는 상황은

인과관계(因果關係)와 카르마와 연관이 있을 수 있습니다.

인과 관계는 한 사건이 다른 사건에 원인을 미치는 관계를 의미합니다. 따라서, 사고(事故)로 인한 죽음은 그 사고의 결과로서 인과관계가 있을 수 있습니다. 예를 들어, 사고가 발생한 원인(原因)이나 환경적인 요인 등이 그 결과에 영향을 줄 수 있습니다.

카르마는 행동의 결과물(結果物)로 이해될 수 있으며, 이는 과거와 현재의 행동이 우리의 미래에 영향을 미친다는 개념입니다. 따라서, 군대에서의 행동이나 선택이 그 사고로 인한 죽음에 영향을 줄 수 있습니다. 예를 들어, 훈련 중의 안전 규칙 위반, 무책임한 행동 등이 카르마의 결과로 이어질 수 있습니다.

그러나 이러한 상황은 단순히 인과관계(因果關係)와 카르마로만 이해하기에는 너무 복잡합니다. 사고의 원인이나 결과는 다양한 요소에 영향을 받을 수 있습니다. 환경적인 요인, 운명의 일치, 우연 등 여러 가지 외부(外部) 요인(要因)이 사고와 죽음에 영향을 줄 수 있습니다.

따라서, 군대(軍隊)에서 동료가 사고로 인해 죽음을 맞이하는 상황은 인과관계와 카르마(Karma)와 연관이 있을 수 있지만, 이는 매우 개인적인 경험과 신념에 따라 다르게 이해될 수 있습니다. 중요한 것은 그 동료를 추모하고 그의 희생을 기억하는 것입니다.

어려서 아버지나 어머니를 일찍 여의는 것, 카르마와 인연과의 관련성은

어려서 아버지나 어머니를 일찍 여의는 상황은 카르마와 인연과 관련이 있을 수 있습니다.

카르마는 우리의 행동과 행위에 따라 형성되는 결과물로 이해될 수 있습니다. 그러므로, 부모님이 어릴 때 여의졌을 경우, 그 원인(原因)은 그들의 카르마의 결과(結果)가 될 수 있습니다. 예를 들어, 그들의 이전 행동이나 선택이 그들의 삶에 영향을 미쳤을 수 있습니다.

인연은 우리가 다른 사람들과 형성하는 관계를 의미합니다. 그리고 부모님과의 관계(關係)는 특히 강력한 인연(因緣)을 형성(形成)할 수 있습니다. 때로는 부모님과 함께한 시간과 경험, 그리고 그들의 가르침이 우리 인생의 방향을 결정짓는 데 큰 역할을 할 수 있습니다.

그러나 어려서 부모님을 여의는 상황은 경우에 따라 다른 요인들에 의해 발생할 수도 있습니다. 예를 들어, 질병, 사고, 자연재해 등이 원인이 될 수 있습니다. 이러한 경우에는 인연과 카르마 외(外)의 요인들이 영향을 미칠 수 있습니다.

따라서, 어려서 부모님을 여의는 상황은 인연과 카르마와 연관이 있을 수 있지만, 매우 개인적인 경험과 신념에 따라 다르게 이해될 수 있습니다. 중요한 것은 그들을 추모하고 그들의 삶과 이야기를 존중하는 것입니다.

| AskUp
Q&A | 19 |

형제, 자매 중에서 어린 형제가 먼저 죽는 것, 카르마와 인연과와의 관련성은

형제나 자매 중에서 어린 형제가 먼저 세상을 떠나는 상황은 인연과 카르마와 관련이 있을 수 있습니다.

인연은 우리가 다른 사람들과 형성하는 관계를 의미합니다. 형제나 자매 간의 관계도 인연의 하나일 수 있으며, 그들 사이에서의 상호작용과 경험은 서로의 삶에 영향을 줄 수 있습니다.

카르마는 우리의 행동과 행위에 따라 형성되는 결과물로 이해될 수 있습니다. 따라서, 어린 형제가 먼저 세상을 떠나는 상황은 그 형제(兄弟)의 카르마의 결과일 수 있습니다. 예를 들어, 그 형제의 이전(以前) 행동(行動)이나 선택(選擇)이 그들의 삶에 영향(影響)을 미쳤을 수 있습니다.

그러나 형제나 자매 중에서 어린 형제가 먼저 떠나는 상황은 매우 개인적이며, 다양한 요인들에 의해 발생할 수 있습니다. 질병, 사고, 자연재해 등 외부 요인들이 영향을 줄 수 있습니다. 또한, 인연(因緣)과 카르마(業) 외에도 우리가 아직 이해하지 못한 다른 요인들이 작용할 수 있습니다.

따라서, 어린 형제가 먼저 세상을 떠나는 상황은 인연과 카르마와 연관이 있을 수 있지만, 이는 매우 복잡하고 개인적인 경험에 따라 다르게 이해될 수 있습니다. 중요한 것은 그 형제를 추모(追慕)하고 그의 삶을 존중(尊重)하는 것입니다.

AskUp Q&A	20

평소에 건강하던 사람이 갑자기 병으로 죽는 경우, 카르마와 인연과의 관련성은

건강하던 사람이 갑자기 죽음을 맞이하는 경우, 이는 카르마와 인연과 관련이 있을 수 있습니다.

카르마는 우리의 행동과 행위에 따라 형성되는 결과물로 이해될 수 있습니다. 때로는 이전의 행동이나 선택이 현재와 미래에 영향을 미칠 수 있습니다. 따라서, 갑작스럽게 발생한 죽음은 그 사람의 카르마(業)의 결과물일 수 있습니다. 이전(以前)에 한 행동, 생활습관, 현재와 미래의 선택 등이 그들의 삶을 형성하는 데 영향(影響)을 미쳤을 수 있습니다.

인연은 우리가 다른 사람들과 형성하는 관계를 의미합니다. 그리고 그 관계는 때로는 우리의 삶에 큰 영향을 줄 수 있습니다. 갑작스럽게 죽음을 맞이하는 경우, 그 사람과의 인연(因緣)이 그 상황과 관련이 있을 수 있습니다. 이는 가족, 친구, 동료, 이전의 관계 등을 포함할 수 있습니다.

그러나 갑작스럽게 죽음을 맞이하는 상황은 매우 복잡(複雜)하며, 우리가 아직 이해(理解)하지 못한 다른 요인들에 의해 발생할 수도 있습니다. 질병, 사고, 자연재해 등 외부 요인들도 영향을 줄 수 있습니다.

따라서, 갑작스럽게 죽음을 맞이하는 경우는 카르마와 인연과 연관이 있을 수 있지만, 이는 매우 개인적이고 복잡한 경험에 따라 다르게 이해될 수 있습니다. 중요한 것은 그 사람을 추모하고 그의 삶을 존중하는 것입니다.

AskUp Q&A	21

거리(인도)를 걷다가 갑자기 차가 인도로 들어와서 차 사고로 사망하는 경우, 카르마와 인연과의 관련성은

갑작스럽게 차사고로 사망하는 경우, 카르마와 인연과의 연관성에 대해서는 다양(多樣)한 관점(觀點)이 있을 수 있습니다.
일부 사람들은 이러한 사고를 과거 생애에서의 행동에

대한 결과로 해석할 수 있을 것입니다. 카르마의 관점에서는 과거(過去)의 행동(行動)이 현재 생활에 영향을 미친다고 믿을 수 있습니다. 그러나 이는 종교적인 신념이며, 모든 사람들이 동일한 관점을 가지는 것은 아닙니다.

또 다른 관점에서는 사고(事故)를 우연이나 환경 요소로 해석할 수 있습니다. 도로 교통사고는 다양한 이유로 발생할 수 있으며, 운전자의 부주의, 교통 규칙 위반, 기술적 결함 등이 원인이 될 수 있습니다.

따라서, 사고의 원인과 카르마 또는 인연 사이의 연관성을 명확히 말할 수는 없습니다. 이는 종교적인 믿음과 개인의 해석에 따라 달라질 수 있습니다.

| AskUp Q&A | 22 |

소방관이 화재를 진압하다 사망하는 경우, 카르마와 인연과의 관련성은

소방관(消防官)이 화재 진압 중 사망하는 경우에 대해 카르마와 인연의 연관성은 다양한 관점에서 이해될 수 있습니다.

일부 사람들은 이러한 상황을 과거 생애에서의 행동이나 운명의 결과로 해석할 수 있을 것입니다. 카르마의 관점에서는 과거 행동이 현재 생활에 영향을 미친다고 믿을 수 있습니다. 이러한 관점에서 소방관이 화재 진압 중 사망하는 것은 그들의 과거 행동(行動)과 연관(聯關)되어 있다고 해석될 수 있습니다.

그러나 이는 종교적인 신념이며, 모든 사람들이 동일한 관점을 가지는 것은 아닙니다. 또 다른 관점에서는 화재 진압 중 사망은 용기와 희생정신으로 가득한 소방관의 직업적 위험에 기인할 수 있다고 이해할 수 있습니다.

따라서, 사고의 원인과 카르마 또는 인연 사이의 연관성을 명확히 말할 수는 없습니다. 이는 종교적인 믿음과 개인의 해석에 따라 다를 수 있습니다.

AskUp Q&A	23

아버지와 어머니는 현재까지 살아온 것이 반듯한데, 그들의 자식이 전혀 그렇지 않아 부모에게 고통을 주는 경우, 카르마와 인연과의 관련성은

자식(子息)이 반듯하게 살아오지 못한 경우에 대해 카르마와 인연의 연관성은 다양한 관점에서 이해될 수 있습니다.

일부 사람들은 이러한 상황을 과거 생애에서의 행동이나 운명의 결과로 해석할 수 있을 것입니다. 카르마의 관점에서는 과거 행동이 현재 생활에 영향을 미친다고 믿을 수 있습니다. 이러한 관점에서 자식이 반듯하게 살아오지 못하는 것은 그들의 과거 행동과 연관(聯關)되어 있다고 해석될 수 있습니다.

그러나 이는 종교적인 신념이며, 모든 사람들이 동일한 관점을 가지는 것은 아닙니다. 또 다른 관점에서는 자식의 행동은 개인적인 선택, 환경 요소, 유전적인 영향 등에 따라 형성될 수 있다고 이해할 수 있습니다.

따라서, 자식의 행동과 카르마 또는 인연 사이의 연관성을 명확히 말할 수는 없습니다.

또한 자녀(子女) 카르마(業)는 일부 종교 및 영성(靈性)의 관점에서 사용되는 개념입니다. 이는 자녀의 행동과 행위가 그들의 삶에 영향을 미친다고 믿는 것을 의미합니다.

자녀 카르마는 부모와 자녀 간의 상호작용과 연결되어 있으며, 자녀의 행동이 그들의 삶과 운명에 영향을 미친다고 보는 것입니다.

예를 들어, 자녀가 도덕적이고 선량한 행동을 취한다면, 그들은 긍정적인 결과를 경험할 수 있고 행운을 얻을 수 있다고 믿을 수 있습니다. 반대로, 자녀가 부정적인 행동을 취한다면, 그들은 부정적인 결과를 경험하고 어려움을 겪을 수 있다고 믿을 수 있습니다.

이 개념은 자녀의 행동(行動)이 그들의 운명(運命)에 영향을 미친다는 신념과 개인의 해석에 따라 다르게 이해될 수 있습니다. 종교적인 신념이나 개인의 철학, 문화적인 배경에 따라 자녀 카르마에 대한 해석이 달라질 수 있습니다.

자녀 카르마는 부모(父母)의 역할과 책임을 강조하며, 부모는 자녀에게 긍정적인 가치와 도덕적인 행동을 가르치는 것이 중요하다고 믿을 수 있습니다. 그러나 자녀의 행동과 그 결과에 대한 해석은 매우 복잡하고 다양하며, 그들의 개별적인 경험과 환경에 따라 다를 수 있습니다

보충내용

자식이 부모 속을 썩이면 부모는 자식을 통해 깨달아야 하는 부분이 분명 존재한다. 자식의 행위는 부모의 가르침에 대한 결과이기 때문에 부모로서 책임져야 하는 부분이 발생한다. 자식의 습관과 행동은 부모의 영향을 크게 받는다. 자식 카르마가 있는 사람은 자식을 잘 키워내야 하며 자식을 통해서 자신의 모습을 깨달아야 한다.

좋은 부모란 단순한 의식주와 교육을 잘 시켜주는 것을 넘어서 자녀의 성격과 성향, 그리고 재능을 파악하려고 재능이 있는 쪽으로 유도해 줄 수 있는 부모를 뜻한다. 결국 좋은 부모란 자녀의 장점을 살려주는 부모이다.

자식 카르마가 있는 사람의 경우에는 자식들의 카르마가 초년에 세팅된 경우, 자식 카르마에 함께 연류되어 들어가게 된다. 자식이 방황하거나 힘든 과정을 지켜보면서 부모도 함께 힘들어하는 과정을 겪게되는 것이다. 아이의 카르마가 어릴 때부터 돌면 부모는 아이에 대한 통재 불능 상황을 맞이할 수도 있다. 역으로 아이에 대한 통제가

> 힘든 부모는 바로 '자식 카르마'를 가지고 있는 사람들
> 이다. 자식을 통해서 자신(自身)의 모순점(矛盾點)을 발
> 견(發見)하여 고쳐나가야만 자식(子息)이 변한다.

출처《지혜와 통찰의 서「**카르마와 인연법**」태라전난영 지식공감
2022.7.22. 》

AskUp Q&A	24

결혼 후 젊어서 배우자를 잃고 혼자가 되는 경우, 카르마와 인연과의 관련성은

젊은 나이에 배우자를 잃고 혼자가 되는 경우에 대해 카르마와 인연의 관련성은 다양한 관점에서 이해될 수 있습니다.

일부 사람들은 이러한 상황을 과거 생애에서의 행동이나 운명의 결과로 해석할 수 있을 것입니다. 카르마의 관점에서는 과거 행동이 현재 생활에 영향을 미친다고 믿을 수 있습니다. 이러한 관점에서 젊은 나이에 배우자를 잃고 혼자가 되는 것은 그들의 과거 행동과 연관되어 있다고 해석될 수 있습니다.

그러나 이는 종교적인 신념이며, 모든 사람들이 동일한 관점을 가지는 것은 아닙니다. 또 다른 관점에서는 젊은 나이에 배우자를 잃고 혼자가 되는 것은 운명의 일부로서 인간

의 삶에서 일어날 수 있는 비약적인 변화 중 하나라고 이해
할 수 있습니다.

 따라서, 이러한 상황과 카르마 또는 인연 사이의 연관성을
명확히 말할 수는 없습니다. 이는 종교적(宗敎的)인 믿음과
개인(個人)의 해석(解釋)에 따라 다를 수 있습니다.

AskUp Q&A	25

속담에 "미인박명 하다"는 말, 카르마와 인연과의 연관성이 있는지

"미인박명(美人薄命)"이라는 말은 외모가 아름답고 뛰어난
사람에게 주는 칭찬이나 기대를 의미합니다. 이와 카르마 또
는 인연 사이의 직접적인 연관성을 말하기는 어렵습니다.

 "미인박명"은 주로 외모(外貌) 또는 미모(美貌)에 집중하는
표현이기 때문에, 한 사람의 외모나 미모가 그들의 과거 행
동이나 운명과 직접적으로 연결된다고 말하기는 어렵습니다.
 외모는 개인의 유전적인 요소, 건강 상태, 생활 습관 등 다
양한 요인에 영향을 받을 수 있습니다.

 카르마(業)의 관점(觀點)에서는 외모나 미모는 과거 생애에
서의 행동의 결과로 해석될 수 있을지 모르지만, 이는 종교

적인 믿음과 개인의 해석에 따라 다를 수 있습니다.

따라서, "미인박명"이라는 표현과 카르마 또는 인연 사이의 연관성을 명확히 말하기는 어렵습니다. 이는 주로 개인의 주관적인 판단과 사회적인 가치관에 따라 사용되는 표현입니다

부처님의 탄생, 카르마와 인연과의 관련성은

부처님의 탄생(誕生)과 카르마(業) 또는 인연(因緣) 사이의 연관성은, 불교 신앙에서 매우 중요한 개념입니다. 부처님의 탄생은 그들의 과거 생애에서의 행동과 직접적으로 연관되어 있다고 믿기 때문입니다.

부처님의 탄생은 불교에서 "부처님의 다스레시(태어나기 전에 행한 일)"라고 불리는 것으로, 부처님은 과거 생애에서 교화(구제)와 같은 불교적인 가르침을 전하고, 수많은 인간들을 구제(救濟)하기 위한 행동(行動)을 해왔다고 믿어지고 있습니다.

이러한 관점에서, 부처님의 탄생은 과거 생애에서의 행동과 직접적으로 연관되어 있다고 믿어지며, 이는 카르마와 인연

사이의 관련성을 나타내는 중요한 예시 중 하나입니다.

하지만, 이는 불교에서의 신앙과 관련된 개념으로, 다른 종교나 믿음에서는 이와 다른 해석이 존재할 수 있습니다.

<table>
<tr><td>AskUp
Q&A</td><td>27</td></tr>
</table>

'국가적 카르마' 라는 것은 있는 것인지

국가적 카르마라는 개념은 일부 종교 및 철학적인 전통에서 언급되기도 합니다. 이는 국가나 집단의 행동과 그 결과에 대한 개념으로 이해될 수 있습니다.

국가적 카르마는 국가나 집단이 과거의 행동과 행위에 따라 현재와 미래의 상황에 영향을 받을 수 있다는 믿음을 의미합니다. 이 개념은 국가의 역사, 사회, 정치, 경제 등의 영역에서 일어나는 일련의 사건과 결과들이 과거의 행동과 연관되어 있다고 보는 것을 의미합니다.

예를 들어, 국가가 전쟁(戰爭)이나 폭력(暴力)을 일으키는 경우, 그 행동은 국가적 카르마의 결과(結果)로서 국가 전반에 영향을 미칠 수 있다고 믿을 수 있습니다. 마찬가지로, 국가가 인권을 존중하고 평화로운 정책을 추구하는 경우에도 국가적 카르마의 영향으로 긍정적인 결과를 얻을 수 있다고 믿을 수 있습니다.

국가적 카르마는 종교, 철학, 문화 등의 영향을 받는 다양한 전통(傳統)에서 다르게 이해되고 해석될 수 있습니다.

<table>
<tr><td>AskUp
Q&A</td><td>28</td></tr>
</table>

'부모 카르마' 라는 것은 있는 것인지

부모 카르마는 일부 종교(宗敎) 및 영성(靈性)의 관점(觀點)에서 사용되는 개념(概念)입니다. 이는 부모의 행동과 행위가 자녀에게 영향을 미친다고 믿는 것을 의미합니다.

부모 카르마는 부모가 가진 긍정적인 특성과 행동이 자녀에게 긍정적인 영향을 미칠 수 있다고 보는 것을 포함합니다. 마찬가지로, 부모가 부정적인 특성과 행위를 가지고 있다면, 자녀에게도 부정적인 영향을 미칠 수 있다고 믿을 수 있습니다.

이 개념은 부모와 자녀 간의 상호작용과 연결되어 있으며, 부모의 행동이 자녀의 삶과 운명에 영향을 미친다고 보는 것입니다. 예를 들어, 부모가 도덕적이고 선량한 행동을 취한다면, 자녀는 그 가치를 배울 수 있고 긍정적인 영향을 받을 수 있습니다. 반대로, 부모가 부정적인 행동을 취한다면, 자녀는 그 영향을 받아 부정적인 결과를 경험할 수 있습니다.

부모 카르마는 종교적인 신념과 개인의 해석에 따라 다르게 이해될 수 있습니다. 이는 부모와 자녀 간의 관계와 상호작용에 대한 개인적인 신념과 해석에 따라 다양한 의미를 갖을 수 있습니다.

'형제, 친척 카르마' 라는 것은 있는 것인지

형제(兄弟) 및 친척(親戚) 카르마에 대한 개념은 일반적으로 부모, 자녀, 형제자매, 친척들 간의 관계와 상호작용이 그들의 운명(運命)과 삶에 영향을 미친다는 신념을 말합니다.

일부 사람들은 형제 및 친척 간의 상호작용(相互作用)이 카르마의 연속성을 형성한다고 믿습니다. 즉, 과거의 행동과 행위들이 현재와 미래의 경험에 영향을 준다고 생각합니다.

예를 들어, 형제나 친척 간에 긍정적인 관계와 상호작용이 있다면, 그들은 서로에게 긍정적인 영향을 미칠 수 있고 행운을 얻을 수 있다고 믿을 수 있습니다. 반대로, 부정적인 관계와 상호작용이 있다면, 그들은 서로에게 부정적인 영향을 미칠 수 있고 어려움을 겪을 수 있다고 믿을 수 있습니다.

그러나 형제 및 친척 간의 관계는 매우 복잡하고 다양하며, 각각의 개인적인 경험(經驗)과 상황(狀況)에 따라 다를 수 있습니다. 또한, 개인의 신념과 철학, 문화적인 배경에 따라 형제 및 친척 카르마에 대한 해석이 달라질 수 있습니다.

형제 및 친척 간의 관계는 서로에게 영향(影響)을 미치며, 상호작용(相互作用)을 통해 서로에게서 배울 수 있는 소중한 경험을 제공할 수 있습니다. 이러한 관계에서 행복하고 건전한 상호작용을 추구하는 것은 중요합니다.

AskUp Q&A	30

평소에 없신여기던 자식이 그의 부모를 죽을 때까지 봉양하는 것, 카르마와 인연과의 관련성은

카르마와 인연에 대한 개념은 종교, 철학 및 스피리처얼리티 관점에서 다양하게 해석될 수 있습니다.

일반적으로 카르마는 개인의 행동과 행위가 그들의 삶과 운명에 영향을 미친다는 신념을 의미합니다.

자식이 부모를 죽을 때까지 돌보고 봉양하는 것은 주어진 상황에서 자녀의 도덕적인 가치와 책임감을 나타낼 수 있는 행동입니다. 이는 일반적으로 카르마(Karma)의 관점(觀點)에서 긍정적인 영향을 미칠 수 있다고 여겨질 수 있습니다.

자식이 부모를 보살피고 돌봄으로써 자녀는 자신의 도덕적인 행동으로 카르마를 형성하고, 부모에게서 긍정적인 결과를 얻을 수 있다고 믿을 수 있습니다.

그러나 카르마와 인연은 매우 복잡하고 다양한 개념이며, 각각의 신념과 개인의 해석에 따라 다양하게 이해될 수 있습니다. 또한, 상황과 문화적인 배경에 따라 해석이 달라질 수 있습니다.

  이러한 상황(狀況)에서는 개인의 신념과 가치관에 따라 다른 의견이 존재할 수 있습니다. 중요한 것은 자녀가 자신의 선택(選擇)과 행동(行動)을 통해 도덕적인 책임을 다하는 것이며, 그것이 자신과 주변 사람들에게 긍정적(肯定的)인 영향(影響)을 미칠 수 있다는 점입니다.

AskUp Q&A	31

속담에 "원수는 외나무 다리에서 만난다."는 말, 카르마와 인연과의 관련성은

  "원수는 외나무다리에서 만난다"는 속담(俗談)은 종종 사람들 간의 인연과 카르마에 대한 개념을 나타내는 말입니다. 이는 어떤 행동이나 선택이 나중에 그에 상응하는 결과를 가져온다는 의미입니다.

  카르마는 개인의 행동, 의사결정 및 행위들이 그들의 운명과 삶에 영향을 미친다는 신념입니다. 인연(因緣)은 우연(偶然)이 아닌 인간들 간의 상호작용(相互作用)과 연결을 의미합니다.

  따라서 "원수는 외나무다리에서 만난다"는 이러한 개념을 강조하며, 우리가 내놓은 행동(行動)과 선택(選擇)이 언젠가는 우리에게 돌아올 수 있다는 것을 암시(暗示)합니다. 우리가 다른 사람들과의 관계에서 좋은 행동과 친절을 베풀면, 그 결과로서 우리 자신에게도 좋은 결과가 돌아올 수 있는 것입니다.

하지만 이 속담(俗談)은 모든 경우에 절대적으로 성립하는 법칙은 아닙니다. 실제로 삶은 매우 복잡하고 다양한 요인들이 상호작용하며 영향을 미치기 때문에 모든 상황에서 이러한 원리가 적용되지는 않을 수 있습니다.

카르마와 인연은 종교, 철학, 영성(靈性)등에서 다양하게 이해되는 개념입니다. 이에 대한 해석은 개인마다 다를 수 있으며, 문화(文化) 및 신념(信念)에 따라 다양한 관점이 존재할 수 있습니다.

AskUp Q&A	32

학창시절에 공부를 못했는데 부자로 잘 살아가는 것, 카르마와 인연과의 관련성은

학창시절 공부를 잘하지 못했더라도 부자로 잘 살아가는 것과 카르마와 인연 사이에는 직접적인 관계가 있는 것은 아닙니다. 부자가 되는 것은 다양(多樣)한 요인(要因)들의 복잡한 상호작용(相互作用)에 의해 결정될 수 있습니다.

부자가 되는 것은 개인의 노력과 열정, 기술, 창의성, 기회의 활용 등 여러 가지 요인들이 결합되어 발생할 수 있습니다. 또한 사회적(社會的)인 요인(要因)들이 부자가 되는 데 영향(影響)을 미칠 수도 있습니다. 예를 들어, 교육 및 기회에 대한 접근성, 사업 기회, 경제적인 트랜드 등이 부자로의 길을 개척하는 데 영향을 줄 수 있습니다.

카르마(Karma)와 인연(因緣)은 일반적으로 개인의 행동과 선택이 나중에 그에 상응하는 결과를 가져온다는 개념을 나타냅니다. 하지만 이는 모든 경우에 절대적으로 성립하는 법칙은 아닙니다. 사회적, 경제적, 문화적인 요인(要因)들이 부자로의 길에 영향(影響)을 미치기 때문입니다.

중요한 것은 지난 과거의 공부 역량이 부자로 성공할 수 있는 유일(有一)한 요인(要因)은 아니며, 지금부터 노력하고 배우며 개인의 잠재력을 개발하는 것이 중요합니다. 노력과 기회를 잘 활용하면 부자로 성공할 수 있는 가능성이 높아질 수 있습니다.

AskUp Q&A	33

결혼 후 잘 사는 것, 배우자의 카르마와 인연과의 연관성은

결혼(結婚) 후(後)에 잘 살아가는 것도 배우자와의 카르마와 인연이 영향을 미치는 경우가 있습니다.

카르마의 관점에서는 개인의 과거 행동과 선택이 나중에 그에 상응(相應)하는 결과를 가져온다고 믿습니다. 따라서 이전에 좋은 행동과 선택을 한 사람들이 결혼 후에도 서로를 위해 좋은 결과를 가져올 가능성이 높아질 수 있습니다.

또한, 인연(因緣)의 관점에서는 서로의 운명적인 연결이 결혼생활에서 영향을 미칠 수 있다고 믿습니다. 이는 서로가 만나고 결혼한 이유, 서로의 성격, 가치관, 관심사 등이 서로를 보완하거나 충돌하는 방식으로 영향을 미칠 수 있습니다.

하지만 이는 결코 모든 경우에 절대적으로 성립하는 법칙은 아닙니다. 결혼 생활에서는 여러 가지 요인(要因)들이 영향(影響)을 미칠 수 있습니다. 예를 들어, 서로의 노력, 의사소통 능력, 상호 존중, 서로의 가족 관계, 경제적인 상황 등이 결혼생활(結婚生活)에서 중요한 역할을 할 수 있습니다.

따라서, 결혼 후에도 서로를 존중하고 의사소통하며 노력하면서 서로를 위한 좋은 행동(行動)과 선택(選擇)을 하는 것이 중요합니다. 이는 결혼 생활에서 서로가 행복(幸福)하게 살아갈 수 있는 기반이 될 수 있습니다.

배우자 카르마는 일부 종교(宗敎) 및 영성(靈性)관점에서 사용되는 개념입니다. 이는 배우자(配偶者)의 행동과 행위가 서로에게 영향(影響)을 미친다고 믿는 것을 의미합니다.

배우자 카르마는 배우자 간의 상호작용(相互作用)과 연결되어 있으며, 한 사람의 행동(行動)이 다른 사람에게 영향을 미친다고 보는 것입니다. 예를 들어, 한 배우자가 선량하고 도덕적인 행동을 취한다면, 다른 배우자는 그 가치를 배울 수 있고 긍정적인 영향을 받을 수 있습니다. 반대로, 한 배우자가 부정적인 행동을 취한다면, 다른 배우자는 그 영향을 받아 부정적인 결과를 경험할 수 있습니다.

이 개념(槪念)은 서로 간의 관계(關係)와 상호작용(相互作用)에 대한 개인적인 신념과 해석에 따라 다르게 이해될 수 있습니다. 종교적인 신념이나 개인의 철학에 따라 배우자 간의 행동과 그 결과에 대한 해석이 달라질 수 있습니다.

종교나 철학 외에도, 심리학적(心理學的)인 관점(觀點)에서도 배우자 간의 상호작용(相互作用)과 영향은 중요한 주제입니다. 상호작용이 좋고 건강(健康)한 관계에서는 긍정적인 행동과 지원이 서로에게 긍정적(肯定的)인 영향을 미치는 경향이 있습니다.

하지만 개인의 행동과 그 결과에 대한 해석은 복잡하고 다양할 수 있으므로, 배우자(配偶者) 카르마에 대한 신념이나 해석은 개인의 신념과 철학에 따라 달라질 수 있습니다.

AskUp Q&A	34

자식복, 카르마와 인연과의 연관성은

카르마와 인연의 개념은 자식복(子息福)에도 영향을 줄 수 있다고 여겨지기도 합니다.

카르마의 관점에서는 개인의 과거 행동과 선택이 나중에 그에 상응하는 결과를 가져온다고 믿습니다. 따라서 부모(父母)의 과거(過去) 행동(行動)과 선택(選擇)이 자식의 운명과 행운에 영향(影響)을 미칠 수 있다고 생각할 수 있습니다.

또한, 인연(因緣)의 관점에서는 부모와 자식 사이에 운명적(運命的)인 연결(連結)이 있다고 믿습니다. 이는 부모와 자식이 서로를 선택(選擇)하고 만나는 과정(過程)에서 일어나는 것일 수도 있습니다.

그러나 자식복(子息福)은 카르마와 인연에 한정되는 것은 아닙니다. 자식복(子息福)은 여러 가지 요인들의 복잡한 상호작용에 의해 결정될 수 있습니다. 부모의 노력, 교육, 환경, 기회 등이 자식의 행운과 성공에 영향을 줄 수 있습니다.

따라서, 부모는 자녀를 위해 최선을 다하고 노력하며, 긍정적인 가치관(價値觀)과 행동(行動)을 보여줌으로써 자식의 성장과 행운에 기여할 수 있습니다. 그러나 자식의 운명은 부모의 영향뿐만 아니라 다양한 요인들이 결합(結合)하여 형성(形成)되기 때문에 절대적인 법칙이 아닙니다.

AskUp Q&A	35

부모복, 카르마와 인연과의 연관성은

부모복(父母福)이라는 개념은 일반적으로 카르마와 인연에 관련(關聯)이 있는 것으로 간주됩니다.
카르마는 개인의 과거 행동과 선택이 나중에 그에 상응하는 결과를 가져온다고 믿습니다. 따라서 부모(父母)의 과거(過去) 행동(行動)과 선택(選擇)이 자녀(子女)의 운명과 행운에 영향(影響)을 미칠 수 있다고 생각할 수 있습니다.

인연(因緣)은 운명적인 연결(連結)이라는 개념으로, 부모와 자녀 사이에도 인연이 있다고 여겨집니다. 이는 부모와 자녀가 함께 태어나고 가족으로 연결(連結)되는 과정에서 서로의 운명이 결합(結合)된다는 것을 의미합니다.

하지만 이는 모든 경우에 절대적으로 성립하는 법칙은 아닙니다. 부모와 자녀 사이의 관계와 영향은 매우 복잡(複雜)하며, 다양(多樣)한 요인들이 함께 작용하여 결정될 수 있습니다. 예를 들어, 환경, 교육, 상속, 가정 문화 등이 부모복(父母福)과 자녀의 운명에 영향(影響)을 줄 수 있습니다.

따라서, 부모가 자녀를 위해 최선을 다하고 사랑과 관심을 기울이며 긍정적인 가치관과 행동을 보여주는 것은 중요합니다. 그러나 부모복은 카르마와 인연에만 의해 결정되는 것은 아니며, 다양한 요소들이 함께 작용(作用)하여 자녀의 운명이 형성됩니다.

AskUp Q&A	36

어린시절, 성인시절, 카르마와 인연과의 연관성은

어린 시절과 성인 시절의 카르마와 인연의 관계에 대해서는 다양한 견해가 있습니다.

어린 시절의 카르마와 인연은 성인 시절의 것과 연결(連結)되어 있다고 여겨지기도 합니다. 어린 시절의 경험은 성인 시절의 인생 방향성과 선택에 영향(影響)을 미칠 수 있기 때문입니다. 예를 들어, 어린 시절의 교육, 가정 환경, 사회적 지위, 경제적 상황 등은 성인 시절의 직업, 가족, 인간관계,

가치관 등에 영향을 줄 수 있습니다.

인연(因緣)의 관점에서는 어린 시절의 인연과 성인 시절의 인연은 서로 연결(連結)되어 있다고 믿습니다. 어린 시절의 인연은 성인 시절의 인연을 만나는 과정(過程)에서 자연스럽게 해소되거나 강화될 수 있습니다.

그러나 이와 같은 견해는 절대적인 법칙은 아닙니다. 성인 시절의 인생 방향성과 선택은 어린 시절의 경험뿐만 아니라 다양(多樣)한 요인(要因)들의 결합에 의해 형성됩니다. 또한, 인연 역시 어린 시절의 경험(經驗)뿐만 아니라 성인 시절의 선택과 노력에 의해 형성되기도 합니다.

따라서, 어린 시절과 성인 시절의 카르마와 인연은 서로 연결(連結)되어 있을 수 있으나, 그 결합 형태는 다양하며 개인에 따라 다를 수 있다는 점을 염두에 두어야 합니다.

AskUp Q&A	37

직업 , 카르마와 인연과의 관련성은

직업과 카르마, 인연 사이에는 일부 관계가 있을 수 있습니다.

카르마의 관점에서는 개인의 과거 행동과 선택이 나중에 그에 상응하는 결과를 가져온다고 믿습니다. 따라서 개인의 과거 행동과 선택이 직업(職業)선택에 영향(影響)을 줄 수 있습니다. 예를 들어, 어떤 사람이 공부를 열심히 해서 의사가 되는 경우, 그 과거의 노력(努力)과 선택이 직업(職業)선택에 영향을 준 것이라고 볼 수 있습니다.

인연(因緣)의 관점에서는 직업과 인연이 연결되어 있다고 여겨질 수 있습니다. 어떤 사람이 특정(特定) 직업(職業)에 이끌리거나 그 직업에서 성공(成功)을 이루는 것은 그와 관련된 인연(因緣)이 있는 것으로 해석될 수 있습니다. 예를 들어, 가족 중에서 많은 사람들이 의사로 일하고 있거나, 친구의 영향으로 특정 직업에 관심을 가지게 되는 경우에는 직업과 인연이 서로 연결(連結)되어 있다고 볼 수 있습니다.

그러나 직업 선택은 개인의 자유로운 선택이기도 하며, 다양한 요인들의 결합에 의해 형성됩니다. 가족이나 사회적 압력, 교육 수준, 관심과 재능, 기회 등이 직업 선택에 영향을 줄 수 있습니다.

따라서, 직업과 카르마, 인연 사이에는 상호작용(相互作用)이 있을 수 있으나, 절대적인 법칙은 아니며 다양한 요인들이 함께 작용하여 개인(個人)의 직업 선택이 형성(形成)되기 때문에 개인의 자유와 선택에 따라 다를 수 있다는 점을 염두에 두어야 합니다

보충내용

개인의 과거에 노력하여 획득한 인격의 균형은, 무엇보다도 직업을 잘지도해주는 말이 담긴 케이시의 리딩

(reading)에 가장 정확하게 그리고 분명하게 나타나 있다. 이미 많은 리딩 속에서 연속의 원리가 개인의 태도, 흥미, 성격의 특성 등에 영향을 미치는 양상을 보아 왔으며, 이 연속의 원리는 인간의 능력에도 작용하고 있어 인간의 직업 생활에 중요한 인자가 되어 있음이 명백해졌다.

출처《「**윤회** 행복한 삶을 위한 마음공부」 지나서미나라 옮긴이 강태헌 도서출판 **파피에** 2020.11.3.》

AskUp Q&A	38

직업을 갖는 시기, 카르마와 인연과의 관련성은

카르마와 인연의 관점에서는 직업을 갖는 시기(時期)도 연관이 있을 수 있습니다.

카르마(Karma)의 관점에서는 개인의 과거 행동과 선택이 나중에 그에 상응하는 결과를 가져온다고 믿습니다. 따라서 개인의 과거 행동과 선택이 직업(職業)을 갖는 시기(時期)에 영향을 줄 수 있습니다. 예를 들어, 어떤 사람이 공부를 열심히 해서 어린 시절부터 의사가 되는 경우, 그 과거의 노력(努力)과 선택(選擇)이 직업을 갖는 시기(時期)에 영향을 준 것이라고 볼 수 있습니다.

인연의 관점에서는 직업을 갖는 시기(時期)와 인연(因緣)이 연결(連結)되어 있다고 여겨질 수 있습니다. 어떤 사람이 특정 직업을 갖는 시기에 이끌리거나 그 직업에서 성공을 이루는 것은 그와 관련된 인연이 있는 것으로 해석(解析)될 수 있습니다. 예를 들어, 가족 중에서 많은 사람들이 어린 시절부터 특정 직업을 갖고 있거나, 친구의 영향으로 특정 직업을 갖게 되는 경우에는 직업을 갖는 시기와 인연이 서로 연결되어 있다고 볼 수 있습니다.

그러나 직업을 갖는 시기(時期)는 개인의 자유로운 선택(選擇)이기도 하며, 다양한 요인들의 결합에 의해 형성됩니다. 가족이나 사회적 압력, 교육 수준, 관심과 재능, 기회 등이 직업을 갖는 시기에 영향(影響)을 줄 수 있습니다.

따라서, 직업을 갖는 시기와 카르마, 인연 사이에는 상호작용이 있을 수 있으나, 절대적인 법칙은 아니며 다양(多樣)한 요인(要因)들이 함께 작용하여 개인의 직업을 갖는 시기가 형성되기 때문에 개인의 자유와 선택에 따라 다를 수 있다는 점을 염두에 두어야 합니다.

AskUp Q&A	39

돈을 잘 벌고 못 버는 것, 카르마와 인연과의 연관성은

카르마와 인연의 관점에서는 돈을 잘 벌거나 못 버는 것과 연관이 있을 수 있습니다.

카르마의 관점에서는 개인의 과거 행동과 선택이 나중에 그에 상응하는 결과를 가져온다고 믿습니다. 따라서 개인의 과거(過去) 행동(行動)과 선택(選擇)이 돈을 잘 벌거나 못 버는 것에 영향(影響)을 줄 수 있습니다. 예를 들어, 어떤 사람이 노력을 게을리하거나 부정한 방법으로 돈을 얻는 행동을 한 경우, 그 과거의 행동과 선택이 돈을 잘 버거나 못 버는 결과에 영향을 준 것이라고 볼 수 있습니다.

인연(因緣)의 관점에서는 돈을 잘 벌거나 못 버는 것과 인연이 연결되어 있다고 여겨질 수 있습니다. 어떤 사람이 특정(特定) 인연을 통해 돈을 잘 버거나 특정 환경에서 돈에 관한 기회를 얻는 경우에는 돈을 잘 벌거나 못 버는 것과 인연(因緣)이 서로 연결(連結)되어 있다고 볼 수 있습니다.
그러나 돈을 잘 벌거나 못 버는 것은 개인(個人)의 다양한 요인들의 결합(結合)에 의해 형성됩니다. 노력, 교육 수준, 기술과 경험, 경제적 환경 등이 돈을 잘 벌거나 못 버는 것에 영향(影響)을 줄 수 있습니다.
따라서, 돈을 잘 벌거나 못 버는 것과 카르마, 인연 사이에는 상호작용(相互作用)이 있을 수 있으나, 절대적인 법칙은 아니며 다양한 요인들이 함께 작용하여 개인의 재정 상황이 형성되기 때문에 개인의 자유와 선택, 환경 등에 따라 다를 수 있다는 점을 염두에 두어야 합니다.

친구와의 만남, 카르마와 인연과의 연관성은

카르마와 인연의 관점에서는 친구와의 만남도 카르마와 인연으로 해석될 수 있습니다.

카르마의 관점에서는 개인의 과거 행동과 선택이 나중에 그에 상응하는 결과를 가져온다고 믿습니다. 따라서 친구와의 만남 역시 개인(個人)의 과거 행동과 선택에 의해 영향을 받을 수 있습니다. 예를 들어, 어떤 사람이 친절하고 존중하는 태도로 다른 사람과 연결을 형성하고자 노력한다면, 그 과거의 행동과 선택이 친구와의 만남에 긍정적인 영향을 줄 수 있습니다.

인연의 관점에서는 친구와의 만남도 인연(因緣)으로 해석될 수 있습니다. 어떤 사람이 특정 인연을 통해 친구와의 만남을 만들어가는 경우에는 친구(親舊)와의 만남과 인연(因緣)이 서로 연결되어 있다고 볼 수 있습니다. 예를 들어, 공통의 관심사나 가치관을 가진 사람들이 모여 친구가 되는 경우에는 친구와의 만남과 인연이 서로 관련(關聯)되어 있는 것으로 생각할 수 있습니다.

그러나 친구(親舊)와의 만남은 다양한 요인(要因)들의 결합에 의해 형성됩니다. 관심사, 환경, 기회, 상호작용 등이 친구와의 만남에 영향을 줄 수 있습니다. 또한, 우연적(偶然的)인 요소나 자유로운 선택(選擇)에 의해 친구와의 만남이 이루어질 수도 있습니다.

따라서, 친구와의 만남과 카르마, 인연 사이에는 상호작용(相互作用)이 있을 수 있으나, 절대적인 법칙은 아니며 다양한 요인들이 함께 작용하여 개인의 친구관계(親舊關係)가 형성되기 때문에 개인의 자유와 선택, 환경 등에 따라 다를 수 있다는 점을 염두에 두어야 합니다.

AskUp Q&A	41

자식이 있고 · 없음, 카르마와 인연과의 연관성은

카르마와 인연의 관점에서는 자식(子息)이 있음과 없음도 카르마와 인연으로 해석될 수 있습니다.

카르마(Karma)의 관점에서는 개인의 과거 행동과 선택이 나중에 그에 상응하는 결과를 가져온다고 믿습니다. 따라서 자녀가 있는 경우, 부모(父母)의 과거(過去) 행동(行動)과 선택(選擇)이 그들의 자녀에게 영향을 줄 수 있습니다. 예를 들어, 부모가 자녀에게 불필요한 압박을 가하거나, 감정적으로 불안정한 태도를 취하는 경우, 그 과거의 행동과 선택이 자녀와의 관계에 부정적인 영향을 줄 수 있습니다.

인연(因緣)의 관점에서는 자녀가 있는 경우, 부모와 자녀 간의 인연(因緣)으로 해석될 수 있습니다. 부모와 자녀 간의 인연은 서로의 존재(存在)에 대한 의존성, 상호작용, 서로에 대한 감정 및 책임 등을 의미합니다.

그러나 자녀가 있음과 없음은 다양(多樣)한 요인들의 결합(結合)에 의해 형성됩니다. 예를 들어, 부부의 결정, 생물학적인 요소, 문화적인 요소 등이 자녀의 유무(有無)에 영향을 줄 수 있습니다.

따라서, 자녀가 있음과 없음과 카르마, 인연 사이에는 상호작용(相互作用)이 있을 수 있으나, 절대적인 법칙은 아니며 다양(多樣)한 요인(要因)들이 함께 작용하여 개인의 가족상황(家族狀況)이 형성되기 때문에 개인의 자유와 선택, 환경 등에 따라 다를 수 있다는 점을 염두에 두어야 합니다.

AskUp Q&A	42

취직 여부, 카르마와 인연과의 연관성은

카르마와 인연의 관점에서는 취직(就職)의 여부(與否)도 카르마와 인연으로 해석될 수 있습니다.

카르마의 관점에서는 개인의 과거 행동과 선택이 나중에 그에 상응하는 결과를 가져온다고 믿습니다. 따라서 취직의 여부도 개인의 과거 행동과 선택에 영향을 받을 수 있습니다.

예를 들어, 학업이나 경력에 대한 노력, 자기개발, 인간관계 등이 취직에 영향을 줄 수 있습니다. 이러한 요소들이 개인의 능력과 자질을 형성하고, 이를 통해 취직의 여부가 결정될 수 있습니다.

인연의 관점에서는 취직의 여부도 인연으로 해석될 수 있습니다. 어떤 사람이 취직을 위해 다른 사람과의 연결을 형성하고자 노력한다면, 취직(就職)과 인연이 서로 연결되어 있다고 볼 수 있습니다. 예를 들어, 사회적인 네트워크를 통해 정보나 기회를 얻거나, 면접에서의 인간관계가 취직에 영향을 줄 수 있습니다.

그러나 취직(就職)의 여부(與否)는 다양한 요인들의 결합에 의해 형성됩니다. 경제 상황, 산업 동향, 기술 요구 사항, 개인의 능력과 경험 등이 취직에 영향(影響)을 줄 수 있습니다. 또한, 우연적인 요소나 자유로운 선택에 의해 취직이 이루어질 수도 있습니다.

따라서, 취직의 여부(與否)와 카르마, 인연 사이에는 상호작용이 있을 수 있으나, 절대적인 법칙은 아니며 다양한 요인들이 함께 작용하여 개인의 취직 상황이 형성되기 때문에 개인의 노력과 선택, 환경 등에 따라 다를 수 있다는 점을 염두에 두어야 합니다.

AskUp Q&A	43

빛을 지고 안 지고, 카르마와 인연과의 연관성은

카르마와 인연의 관점에서는 빚을 지고 안 지고도 카르마와 인연(因緣)으로 해석될 수 있습니다.

카르마의 관점에서는 개인의 과거 행동과 선택이 나중에 그에 상응하는 결과를 가져온다고 믿습니다. 따라서 빚을 지는 행동이나 선택이 그 이후에 개인에게 결과(結果)를 가져올 수 있습니다. 예를 들어, 빚을 지는 행동(行動)이나 선택(選擇)이 그 이후에 재정적인 어려움이나 스트레스를 가져올 수 있습니다.

인연(因緣)의 관점에서는 빚을 지고 안지고도 인연(因緣)으로 해석될 수 있습니다. 예를 들어, 빚을 지는 행동이나 선택이 다른 사람에게 불이익(不利益)을 가져올 수 있다면, 그것은 그 사람과의 인연(因緣)을 형성하게 됩니다. 또한, 빚을 지는 행동이나 선택이 다른 사람에게 도움을 줄 수 있다면, 그것 역시 인연(因緣)을 형성하게 됩니다.

그러나 빚을 지고 안 지고는 다양(多樣)한 요인들의 결합에 의해 형성됩니다. 예를 들어, 경제적인 환경, 소비문화, 개인의 선택 등이 빚을 지는 원인(原因)이 될 수 있습니다. 따라서 빚을 지는 것이나 안 지는 것은 개인의 자유와 선택, 환경 등에 따라 다를 수 있다는 점을 염두에 두어야 합니다.

결론적으로, 빚을 지고 안 지고도 카르마와 인연 사이에는 상호작용(相互作用)이 있을 수 있으나, 절대적인 법칙은 아니며 다양한 요인들이 함께 작용하여 개인의 상황이 형성되기 때문에 개인(個人)의 선택(選擇)과 환경(環境), 노력(努力) 등에 따라 다를 수 있다는 점을 염두에 두어야 합니다.

자식의 잘 풀림 안 풀림, 카르마와 인연과의 관련성은

카르마와 인연의 관점에서는 자식이 잘 풀리거나 안 풀리는 것도 카르마와 인연으로 해석될 수 있습니다.

카르마의 관점에서는 개인의 과거 행동과 선택이 나중에 상응하는 결과(結果)를 가져온다고 믿습니다. 따라서 자식(子息)이 잘 풀리거나 안 풀리는 것도 부모(父母)의 과거 행동과 선택에 영향(影響)을 받을 수 있습니다. 예를 들어, 부모의 양육 방식, 교육에 대한 노력, 가정환경 등이 자식의 풀림 여부에 영향을 줄 수 있습니다.

인연의 관점에서는 자식이 잘 풀리거나 안 풀리는 것도 인연으로 해석될 수 있습니다. 예를 들어, 부모와 자식 간의 관계, 상호작용, 미래의 계획 등이 자식의 풀림 여부에 영향을 줄 수 있습니다. 또한, 외부에서의 인연도 자식의 풀림에 영향을 줄 수 있습니다. 예를 들어, 교육 기회, 사회적인 지원, 우연한 만남 등이 자식의 풀림 여부에 영향을 줄 수 있습니다.

그러나 자식(子息)의 풀림 여부는 다양한 요인(要因)들의 결합에 의해 형성됩니다. 개인의 능력, 잠재력, 환경 요소, 우연적인 요소 등이 자식의 풀림에 영향(影響)을 줄 수 있습니다. 또한, 자식의 풀림은 개인의 자유와 선택, 노력 등에 따라 다를 수 있다는 점을 염두(念頭)에 두어야 합니다.

따라서 자식이 잘 풀리거나 안 풀리는 것도 카르마와 인연 사이에는 상호작용이 있을 수 있으나, 절대적인 법칙은 아니며 다양한 요인들이 함께 작용하여 개인의 상황이 형성되기 때문에 부모의 노력과 선택, 자식의 개인적인 특성과 노력, 환경 등에 따라 다를 수 있다는 점을 염두에 두어야 합니다.

AskUp Q&A	45

취미생활, 카르마와 인연과의 연관성은

카르마와 인연의 관점에서는 취미생활(趣味生活)도 카르마와 인연(因緣)으로 해석될 수 있습니다.

카르마의 관점에서는 개인의 과거 행동과 선택이 나중에 그에 상응하는 결과를 가져온다고 믿습니다. 따라서 취미생활도 개인(個人)이 선택하고 투자하는 행동이며, 그에 따라 나중에 그에 상응하는 결과를 가져올 수 있습니다. 예를 들어, 취미생활(趣味生活)을 통해 새로운 기술을 습득하거나 창의력을 발휘할 수 있다면, 그것은 개인의 노력과 선택에 의한 결과입니다.

인연(因緣)의 관점에서는 취미생활도 인연으로 해석될 수 있습니다. 취미생활을 통해 새로운 사람들을 만나거나 소속감을 형성할 수 있습니다. 예를 들어, 동호회나 그룹 활동을 통해 관심사가 비슷한 사람들과 인연을 형성할 수 있습니다. 또한, 취미생활을 통해 다른 사람들에게 영감을 주거나 도움을 줄 수도 있습니다.

취미생활은 개인의 흥미와 즐거움을 위한 활동이기도 합니다. 그러나 취미생활(趣味生活)도 개인의 노력과 선택, 환경 등에 따라 다양한 결과(結果)를 가져올 수 있습니다. 어떤 취미(趣味)를 선택하고 얼마나 시간(時間)과 노력(努力)을 투자하는지, 어떤 사람들과 관련되어 활동하는지 등이 취미생활의 결과에 영향을 줄 수 있습니다.

결론적으로, 취미생활도 카르마와 인연과 관련이 있을 수 있으며, 개인의 선택과 노력, 환경 등에 따라 다양한 결과를 가져올 수 있다는 점을 염두에 두어야 합니다. 취미생활은 개인의 흥미와 즐거움을 위한 활동이므로, 자유롭게 즐기고 발전시킬 수 있는 것이 좋습니다.

AskUp Q&A	46

사람들의 성격, 카르마와 인연과의 관련성은

카르마와 인연의 관점에서는 개인의 성격도 카르마와 인연으로 해석될 수 있습니다.

카르마의 관점에서는 개인의 과거 행동과 선택이 나중에

그에 상응하는 결과를 가져온다고 믿습니다. 따라서 개인(個人)의 성격(性格)도 개인(個人)의 과거 행동과 선택에 의해 형성(形成)된다고 볼 수 있습니다. 예를 들어, 과거에 선의로 행동하고 다른 사람들을 배려하는 선택을 한 경우, 그것은 개인의 성격에 영향을 줄 수 있습니다.

인연의 관점에서는 개인의 성격도 인연(因緣)으로 해석될 수 있습니다. 개인의 성격은 주변 사람들과의 상호작용, 가정 환경, 교육 등에 영향을 받을 수 있습니다. 예를 들어, 가정에서의 가치관이나 교육적인 경험들이 개인의 성격에 영향을 줄 수 있습니다. 또한, 개인의 성격이 주변 사람들과의 관계(關係)에 영향을 미칠 수 있으며, 이러한 관계(關係)들이 개인의 성격에 대한 인연(因緣)을 형성할 수 있습니다.

그러나 개인의 성격은 다양한 요인들의 결합(結合)에 의해 형성됩니다. 유전적인 영향, 개인의 경험들, 성장 과정에서의 학습 등이 개인의 성격에 영향을 줄 수 있습니다. 또한, 개인은 성격을 개발(開發)하고 변화(變化)시킬 수 있는 자유와 선택권을 가지고 있습니다.

따라서 개인의 성격도 카르마와 인연과 관련이 있을 수 있으며, 개인의 과거 행동과 선택, 주변 사람들과의 상호작용, 환경 등에 따라 다양한 성격이 형성될 수 있다는 점을 염두에 두어야 합니다. 개인은 성격을 자유롭게 발전시킬 수 있으며, 자신의 가치와 원칙에 따라 긍정적인 방향으로 성장할 수 있습니다.

AskUp Q&A	47

배우자의 선택, 카르마와 인연과의 관련성은

카르마와 인연의 관점에서는 배우자(配偶者) 선택(選擇)도 카르마와 인연으로 해석될 수 있습니다.

카르마의 관점에서는 개인의 과거 행동과 선택이 나중에 그에 상응하는 결과를 가져온다고 믿습니다. 따라서 배우자 선택도 개인의 과거(過去) 행동(行動)과 선택(選擇)에 의해 영향(影響)을 받을 수 있습니다. 예를 들어, 과거에 성실하게 관계를 유지하고 서로를 존중하는 선택을 한 경우, 그것은 배우자 선택에 영향을 줄 수 있습니다.

인연의 관점에서는 배우자 선택도 인연으로 해석될 수 있습니다. 배우자 선택은 주변 사람들과의 상호작용, 만남의 기회, 가치관과 이상적인 관계에 대한 개인의 욕구 등에 영향을 받을 수 있습니다. 예를 들어, 공통의 관심사나 가치관을 가진 사람과의 인연(因緣)을 형성하여 배우자로 선택하는 경우, 그것은 인연(因緣)에 의한 배우자 선택의 결과일 수 있습니다.

그러나 배우자 선택은 다양한 요인들의 결합에 의해 이루

126

어지며, 개인의 선호도, 사회적인 영향, 가정 환경 등도 영향을 줄 수 있습니다. 또한, 개인의 자유와 선택권을 통해 배우자를 선택할 수 있는 자유도 가지고 있습니다.

따라서 배우자 선택도 카르마(Karma)와 인연(因緣)과 관련이 있을 수 있으며, 개인의 과거 행동과 선택, 주변 사람들과의 상호작용, 가치관 등에 따라 다양한 배우자 선택이 이루어질 수 있다는 점을 염두에 두어야 합니다. 개인은 자신의 가치와 원칙에 따라 적합한 배우자를 선택할 수 있으며, 상호적인 관계를 형성하여 행복한 가정을 만들어 나갈 수 있습니다.

보충내용

정말 죽고 못하는 , 사랑이란 이름으로 맺어진 인연은 아이러니하게도 대부분 악연으로 찾아온다. 극성이 강할수록 강한 끌림으로 들어오고 연(緣)이 깊을수록 강한 끌림으로 다가온다. 첫눈에 반하여 사랑을 하게 된 연인도 시간이 흐르다 보면 서로가 서로의 감정을 할퀴어 상처를 내기도 한다. 그러다 감정이 무덤덤해질 때 쯤 이별이 찾아온다. 인연은 같은 에너지 레벨과 만나야 소통이 잘된다. 에너지 레벨 차이가 많이 나면 언젠가는 헤어지게 되어 있다. 부모, 형제, 애인, 친구 모두에게 해당된다.

출처《지혜와 통찰의 서「카르마와 인연법」태라전난영 지식공감 2022.7.22. 》

생(生)과 사(死), 카르마와 인연과의 연관성은

카르마와 인연의 관점에서는 사람의 생과사도 카르마와 인연으로 해석될 수 있습니다.

카르마의 관점에서는 개인의 과거 행동과 선택이 현재의 상황과 미래의 결과를 결정한다고 믿습니다. 즉, 개인의 과거(過去) 행동과 선택은 현재의 생과사에 영향(影響)을 미치며, 미래의 생과사에도 영향을 줄 수 있습니다. 예를 들어, 과거에 선의로 행동하고 도덕적인 선택을 한 경우, 그것은 현재와 미래에 긍정적인 영향을 줄 수 있습니다.

인연(因緣)의 관점에서는 사람의 생(生)과사(死)도 인연으로 해석될 수 있습니다. 사람은 주변 사람들과의 관계, 사회적인 연결, 우연한 만남 등을 통해 인연(因緣)을 형성하고 이를 통해 다양(多樣)한 경험(經驗)을 얻게 됩니다. 이러한 인연들이 개인의 생과사를 형성하고 영향을 미칠 수 있습니다. 예를 들어, 가정 환경, 교육적인 영향, 사회적인 관계들이 개인의 생과사에 영향을 줄 수 있습니다.

그러나 사람의 생과사는 다양한 요인들의 결합에 의해 형성됩니다. 유전적인 영향, 개인의 선택과 행동, 사회적인 영향 등이 모두 사람의 생과사에 영향을 줄 수 있습니다. 또한, 개인은 자유롭게 선택하고 행동할 수 있는 자유도와 선택권을 가지고 있습니다.

따라서 사람의 생(生)과 사(死)도 카르마와 인연과 관련이 있을 수 있으며, 개인의 과거 행동과 선택, 주변 사람들과의 상호작용, 환경 등에 따라 다양한 생과사가 형성될 수 있다는 점을 염두에 두어야 합니다. 개인은 가치와 원칙에 따라 긍정적인 방향으로 생과 사를 조성할 수 있으며, 자신의 행동과 선택에 책임을 질 수 있습니다.

AskUp Q&A	49

형제와 친적, 카르마와 인연과의 연관성은

형제(兄弟)와 친적(親戚)도 카르마와 인연과 관련이 있을 수 있습니다.

카르마의 관점에서는 형제와 친적과의 관계도 개인의 과거 행동과 선택에 의해 형성된 결과라고 볼 수 있습니다. 예를 들어, 형제와 친적과의 관계는 과거에 서로를 도와주고 지원해준 결과로 형성될 수 있습니다. 또는 과거에 서로 갈등이 있거나 부정적인 상황이 있었다면, 그러한 결과로 인해 형제와 친적과의 관계가 형성(形成)될 수도 있습니다.

인연의 관점에서도 형제와 친적과의 관계는 인연(因緣)으로 해석될 수 있습니다. 형제나 친적과의 관계는 우연한 만남이 아니라 가정 환경이나 사회적인 연결을 통해 형성될 수 있습니다.

예를 들어, 가족 구성원으로 태어나 형제와 친적으로 연결되는 경우, 그것은 인연에 의한 결과일 수 있습니다. 또한, 공통의 가치관이나 관심사를 가진 사람들과의 관계를 통해 형제와 친적과의 관계가 형성될 수도 있습니다.

그러나 형제와 친적과의 관계는 다양한 요인들에 의해 형성되며, 개인의 선택과 행동, 가정 환경, 사회적인 영향 등도 영향을 줄 수 있습니다. 또한, 형제나 친적과의 관계는 상호작용(相互作用)과 상호의존적(相互依存的)인 요소(要素)에 의해 발전하고 형성됩니다.

따라서 형제와 친적과의 관계도 카르마와 인연과 관련이 있을 수 있으며, 개인의 과거 행동과 선택, 가정 환경, 사회적인 연결 등에 따라 다양(多樣)한 형제와 친적 관계(關係)가 형성될 수 있다는 점을 염두에 두어야 합니다.

개인은 서로를 이해(理解)하고 존중(尊重)하는 관계를 형성하여 형제나 친적과의 관계를 풍요롭고 의미 있는 것으로 만들어 나갈 수 있습니다.

아픈 형제가 있는 경우, 가족들의 관심과 온 신경은 아픈 형제에게 쏠리기 마련이다. 이런 경우 아픈 형제를 가족들이 함께 보살피면서 겪어야 하는 카르마이다.

두 번째, 사고치는 형제가 있는 경우에는 가족들의 돈이 사고치는 형제에게 모두 빨려 들어가는 경우이다. 형제끼리 다투거나 법정에 서게 되는 경우도 있으며, 형제끼리 악연의 연으로 만나는 경우도 있다. 물론 카르마는 한 가지만 나타나는 것이 아니라 두세 개가 겹쳐져서 나타나게 회는데, 형제 카르마가 있는 경우 부모 자식카르마도 동시에 겹쳐서 나타난다. 형제끼리 유산 문제로 법정에 서는 경우가 이런 경우이다. 반면에 친척 카르마의 경우, 부모의 형제로부터 기인한 것이기 때문에 할머니, 할아버지 대로부터 원인을 잡아야 할 것이다. 이런 경우 친척 간에 연(緣)을 끊고 사는 경우가 많다. 형제나 친척 관련 카르마에는 돈이라는 매개체(媒介體)가 끼어 있는 경우가 대부분 이다.

출처《지혜와 통찰의 서 「카르마와 인연법」 태라전난영 지식공감 2022.7.22.》

재물, 카르마와 인연과의 관련성은

재물(財物)도 카르마와 인연과 관련이 있을 수 있습니다. 카르마의 관점에서는 개인의 과거 행동과 선택이 현재의 재물 상황과 미래의 재물 상황을 결정한다고 믿습니다. 개인이 과거에 노력하고 뜻을 다하는 등 긍정적인 행동(行動)을 한 경우, 그것은 현재와 미래의 재물에 긍정적인 영향(影響)을 줄 수 있습니다. 마찬가지로, 과거에 타인에게 해를 끼치거나 인정하지 않는 행동을 한 경우, 그것은 현재와 미래의 재물에 부정적(否定的)인 영향(影響)을 줄 수 있습니다.

인연(因緣)의 관점에서도 재물(財物)과 관련이 있을 수 있습니다. 재물은 사회와 경제적인 환경과의 상호작용을 통해 형성되며, 이는 인연에 의해 영향을 받을 수 있습니다. 예를 들어, 가족의 재물 상황이 개인의 재물 상황에 영향을 미칠 수 있습니다. 또한, 사회적인 관계와 네트워크, 비즈니스 파트너십 등을 통해 재물이 형성될 수도 있습니다.

그러나 재물은 다양한 요인들에 의해 형성되며, 카르마와 인연 외에도 경제 상황, 개인의 노력과 능력, 교육 수준 등도 영향을 줄 수 있습니다. 또한, 재물은 개개인의 가치관과 목표에 따라 다양하게 정의될 수 있습니다.

따라서 재물(財物)도 카르마와 인연과 관련이 있을 수 있으며, 개인의 과거 행동과 선택, 사회적인 관계, 경제적인 환경 등에 따라 다양한 재물 상황이 형성(形成)될 수 있다는 점을 염두에 두어야 합니다. 개인은 자신의 가치와 원칙에 따라 재물을 추구하고, 노력하며, 책임을 질 수 있습니다.

보충내용

돈과 관련된 카르마를 가지고 있는 사람은 돈이나 물질에 대한 집착이 강한 사람이다. 재물 관련 카르마를 가지고 있는 사람은 크게 흥하거나 크게 망하거나 하는 두가지 흐름을 가지고 있다. 악착같은 데가 있는 사람은 어떻게든 성공은 하겠지만 게으르고 악착같지도 못하면 가난을 쉽게 면하지 못한다. 무지함으로 돈을 날린 사람에게 필요한 것은 돈이 아니라 무지함에서 벗어날 깨달음의 지혜이다. 빈곤의 카르마로 태어난 사람들에게 필요한 것은 돈이 아니라 돈을 벌 수 있는 교육이다. 각자의 성향에 맞는 맞춤식 교육으로 각자의 개성을 살리고, 평생 벌어먹을 수 있는 직업에 힘을 실어주어야 최소한의 빈곤을 막을 수 있다. 스무살이 되면 자신의 성향대로 살아가게 되기 때문에 빈곤을 막을 수는 없다. 시스템이 해결해 줄 수 없는 영역이 바로 개개인의 성향인 것이다. 성향은 타고 나며, 각자의 일정이 이번 생(生)에 존재한다. 스스로 일어서는 힘과 분별력을 갖추어야 다음에 무지가 반복되지 않는 것이다.

출처 《지혜와 통찰의 서 「카르마와 인연법」 태라전난영 지식공감 2022.7.22. 》

질병, 카르마와 인연과의 관련성은

사람들의 질병(疾病)도 카르마와 인연과 관련이 있을 수 있습니다.

카르마의 관점에서는 개인의 과거 행동과 선택이 현재의 건강 상태와 미래의 질병에 영향을 줄 수 있다고 믿습니다. 예를 들어, 과거에 건강을 돌보지 않거나 부주의한 행동을 한 경우, 그것은 현재와 미래의 질병 발생에 부정적인 영향을 줄 수 있습니다. 또한, 과거에 다른 사람에게 해를 끼친 경우, 그것이 현재의 질병과 연결될 수도 있습니다.

인연의 관점에서도 질병과 관련이 있을 수 있습니다. 질병은 사회적인 상호작용과 환경적인 요소에 의해 형성되며, 이는 인연에 의해 영향을 받을 수 있습니다. 예를 들어, 가족의 유전적인 요인이 개인의 질병 발생에 영향을 줄 수 있습니다. 또한, 사회적인 관계와 환경, 생활 습관 등을 통해 질병이 형성될 수 있습니다.

그러나 질병은 다양한 요인들에 의해 형성되며, 카르마와 인

연 외에도 유전적인 요소, 환경 요인, 개인의 건강 관리 등
도 영향을 줄 수 있습니다. 또한, 질병의 발생은 우연한 사
건일 수도 있으며, 개인의 의지나 선택에 의해 완전히 통제
되지 않을 수도 있습니다.

따라서 질병도 카르마와 인연과 관련이 있을 수 있으나, 개
인의 과거 행동과 선택, 유전적인 요소, 사회적인 관계, 환경
적인 요인 등 다양한 요소에 따라 질병이 형성되고 발생할
수 있다는 점을 염두에 두어야 합니다. 개인은 건강을 돌보
고 예방을 위해 노력하고, 필요한 조치를 취함으로써 건강을
지킬 수 있습니다.

보충내용

질병 카르마의 경우 가문으로부터 내려오는 유전적인 경향
이 강하다. 식습관을 비롯하여 생활습관이 비슷하게 흘러
내려오기 때문에 특정 질병으로 유전되는 것이기도 하다 질
병의 경우 고집에 의한 질병이 많다. 자신만의 틀이 고착화
되어 전체 에너지와의 단절 또는 고립이 일어나면서 나타난
다. 질병은 왜곡된 생각으로부터 출발하며 왜곡된 생각은
몸의 균형을 틀어지게 만들고 에너지를 막히게 만들면서 질
병을 유발한다. 질병이 오는 사람의 경우, 자신의 생각
패러다임을 완전히 뜯어고쳐 자신의 고집을 내려놓고 새롭
게 공부하는 자세로 삶을 시작해야 질병의 강도도 줄어든
다. 이처럼 기존의 관성을 벗어나 안 좋은 습관을 고치면
병은 어느정도 호전될 수 있다.

출처《지혜와 통찰의 서 「카르마와 인연법」 태라전난영 지식공감
2022.7.22. 》

젊어서 혹은 나이 들어서 홀로 있는 것. 감금, 카르마와 인연과의 관련성은

홀로 있는 것과 감금(監禁)도 카르마(Karma)와 인연(因緣)과 관련(關聯)이 있을 수 있습니다.

카르마의 관점(觀點)에서는 개인의 과거(過去) 행동과 선택이 현재(現在)의 상황과 미래의 경험에 영향(影響)을 줄 수 있다고 믿습니다. 예를 들어, 과거에 타인에게 고통이나 공감을 주지 않거나 소외시킨 경우, 현재와 미래에서는 홀로 있는 상황이나 감금과 같은 경험을 할 수 있습니다. 또한, 과거(過去)에 타인을 감금하거나 자유를 제한한 경우, 현재나 미래에서는 개인이 감금되거나 제한(制限)된 상황을 경험할 수도 있습니다.

인연(因緣)의 관점에서도 홀로 있는 것과 감금은 관련이 있을 수 있습니다. 인간은 사회적인 존재이며, 사회적인 관계와 상호작용을 통해 성장(成長)하고 발전합니다. 홀로 있는 상황이나 감금은 이러한 사회적인 연결(連結)과 관계(關係)의

부재(不在)를 나타낼 수 있습니다. 또한, 홀로 있는 상황이나 감금은 외부의 힘이나 환경적인 요소에 의해 발생할 수도 있습니다.

그러나 홀로 있는 것과 감금(監禁)은 다양한 요인(要因)에 의해 발생(發生)할 수 있으며, 카르마와 인연 외에도 심리적인 요인, 사회적인 요인, 환경적인 요소 등이 영향을 줄 수 있습니다. 또한, 홀로 있는 것이나 감금은 개인의 선택(選擇)이나 의지(意志)에 따라 달라질 수 있으며, 완전히 통제되지 않을 수도 있습니다.

따라서 홀로 있는 것과 감금도 카르마와 인연과 관련이 있을 수 있으나, 개인의 과거 행동과 선택, 심리적인 요인, 사회적인 관계, 환경적인 요소 등 다양한 요소에 따라 홀로 있는 상황이나 감금이 발생할 수 있다는 점을 염두에 두어야 합니다. 개인은 자신의 상황을 인식하고 필요한 조치를 취함으로써 더 나은 사회적인 연결과 자유로운 삶을 추구할 수 있습니다.

보충내용

직장에 취직이 안 되거나 무엇을 해도 방해가 있고 가로막음이 생겨 홀로 도를 닦는 시간이 길어지는 사람들은 감금 카르마가 있는 것이다. 일찍 피는 꽃이라기보다는 늦게 피는 꽃으로 오랜 시간 자신을 단련하고 정련하는 시간을 갖는 사람이다. 이런 사람은 자신이 꽃피어야 하는 시기가 도래하기 전까지는 무엇을 해도 안되고 하고 싶은 마음도 안 생긴다. 주변의 정보를 흡수하면서 자신만의 공부를 하고 있는 중이다. 이런 사람들은 자신에 대한 기대치가 큰편으로 낮은 일은 절대 하지 못하고 세팅된 무대에 오르고자 하는 경우가 많다. 이상과 기대가 커서 사회에 나가 남 아래에서 일을 하는 것이 안 되기 때문에 스스로 망상을 갖거나 스스로 고립시키기도 한다. 이렇게 오랜 시간 감금디어 가족들의 압박을 받다 보면 자신의이상과 기대도 점점 내려오게 되고 자신만의 고집과 아집을 내려놓은 뒤 사회에 잘 적응하기도 한다. 감금카르마는 전생의 업이 크게 작용하는 경우가 많기 때문이다.

출처 《지혜와 통찰의 서「카르마와 인연법」태라전난영 지식공감 2022.7.22. 》

내가 어떤 시기에 어떤 부류의 사람들을 만났는지 돌이켜보면, 자신의 의식 상태에 따라 그에 걸맞은 인연이 오차 없이 들어왔음을 알게 될 것이다.

감금과 이동 또한 인연에 의해 지배를 받는다. 어떤 인연을 만났는데 그 인연을 만나면서 감금이 시작되었다면 상대 에너지에 강하게 지배를 받으면서 묶이기 때문에 감금이 되는 것이다.

이때는 상대의 에너지가 나보다 크기 때문에 종속되는 것이다. 예를 들어 아직 공부중인 사람 혹은 실패를 경험하고 다시 에너지를 채워야 하는 사람은 에너지가 부족하기 때문에 더 큰 에너지에 종속되어 에너지 질량을 채워야한다.

감금은 일종의 에너지를 채우고 있는 상태를 뜻한다. 내가 성장할 때까지 보호를 받는 개념인데 한편으로는 감금처럼 보이기도 한다.

출처《「인연의 도킹 」태라전난영 지식공감 2019.11.18. 》

AskUp Q&A	53

각 세대별, 카르마와 인연과의 관련성은

카르마와 인연은 각 세대별로 다른 관점과 경험을 가질 수 있습니다. 여기에는 일반적인 특징을 나열해드리겠습니다. 다음은 일반적인 관찰입니다

1. 세대별 카르마 관점:
- Baby Boomers 세대: 과거의 행동과 선택이 현재와 미래에 영향을 줄 수 있다고 믿습니다. 노력하고 희생하는 것이 현

재와 미래에 긍정적인 결과를 가져온다고 생각합니다.

- X 세대: 개인의 선택과 노력이 중요하다고 믿습니다. 자기 책임과 자기 결정이 인생의 결과를 형성한다고 생각합니다.

- Y 세대: 개인의 행동과 선택은 중요하지만, 외적인 요소와 사회적인 영향도 고려해야 한다고 생각합니다. 조화롭게 일하는 것을 중요시하며, 사회적 정의와 희생에 대한 관심을 가지고 있습니다.

- Z 세대: 개인의 행동과 선택이 주된 영향력을 가지며, 자율성과 개별성을 중요시합니다. 사회적 영향력과 미래 예측에 대한 관심이 있습니다.

2. 세대별 인연 관점:

- Baby Boomers 세대: 가족과 친구, 동료 등과의 인연을 중요하게 여깁니다. 가족의 연결과 사회적인 관계를 유지하고 지원하는 것을 중요시합니다.

- X 세대: 가족과 사회적 관계는 중요하지만, 개인의 가치와 자아실현을 추구하는 것도 중요하게 여깁니다. 동료와의 협업과 친밀한 인간 관계를 형성하는 것을 중요시합니다.

- Y 세대: 다양한 인연을 형성하는 것을 중요시하며, 사회적 연결과 온라인 네트워크를 통해 관계를 형성합니다. 진정한 소통과 공감을 중요시합니다.

- Z 세대: 다양한 인연을 형성하고 유지하는 것을 중요시하며, 사회적인 영향력과 공유 경제 등을 통해 관계를 형성합니다. 다양성과 포용을 중요시합니다.

세대별로 이러한 관점(觀點)과 경험(經驗)은 개인마다 다를 수 있으며, 이는 일반적인 경향을 나타내는 것입니다. 세대 간의 차이점을 이해하고 서로를 존중하는 것이 중요합니다.

*70대 이상은 가문의 대를 잇고 자식을 위해 헌신하며 국가 시스템을 구축하는 세대.

*50~60대는 개천에 용 나는 세대로, 시스템을 일으키고 통일 기반을 마련하는 세대

*30~40대는 시스템의 모순과 오류를 관찰하고 새로운 통일 한국을 기획 및 완성하는 세대

*10~20대는 통일 이후에 자신의 재능을 펼치는 세대

각 세대(世代)들은 비슷한 전생(前生)의 흐름을 공유하고 있다. 비슷한 시대(時代)에 비슷한 환경(環境)에서 살았던 사람들이 또다시 연(緣)이 되어 다음 생(生)에 같은 세대(世代)로 태어나는 것이다.

출처《지혜와 통찰의 서 「카르마와 인연법」 태라전난영 지식공감 2022.7.22. 》

성별로 남·녀의 카르마와 인연과의 관련성은

남성과 여성의 카르마와 인연 관련성은 성별에 따라 크게 다를 수 있지만, 다음은 일반적인 관찰입니다

1. 카르마 관점

- 개인 행동과 선택: 남성과 여성 모두 개인의 행동과 선택이 미래에 영향을 줄 수 있다고 믿습니다. 과거의 행동과 선택은 현재와 미래에 결과를 가져올 수 있습니다.
- 사회적 영향력: 남성과 여성 모두 사회적인 영향력이 자신의 카르마에 영향을 줄 수 있다고 생각합니다. 다른 사람들과의 상호작용, 관계, 역할 등이 개인의 경험에 영향을 줄 수 있습니다.

2. 인연 관점

- 가족 및 사회적 관계: 남성과 여성 모두 가족과 사회적인 관계를 형성하고 유지하는 것을 중요시합니다. 가족 구성원, 친구, 동료 등과의 인연을 형성하고 유지하는 것이 개인의 인생에 영향을 줄 수 있습니다.

- 로맨틱한 관계: 남성과 여성은 로맨틱한 인연을 형성하는

경향이 있습니다. 이러한 로맨틱한 관계는 개인의 성장과 행복에 영향을 줄 수 있습니다.

남성과 여성의 카르마와 인연 관련성은 문화, 신념, 사회적 요인에 따라 변할 수 있으며, 개인마다 다를 수도 있습니다. 성별에 상관없이 모든 개인은 자신의 행동과 선택, 사회적 관계 등을 통해 카르마와 인연을 형성하고 경험할 수 있습니다. 이를 통해 자신의 성장과 행복을 추구할 수 있습니다.

보충내용

여자에게는 세 가지 남자 복이 있다. 아버지 복, 남편 복, 자식 복이 바로 그것이다. 이세가지 복을 가진 여자는 참으로 행복한 여성이라 할 수 있다.

남자도 여자와 마찬가지로 세 가지 여자복이 있다. 어머니 복, 아내 복, 자식 복이 있다. 좋은 복록을 타고 난다는 것은 그만큼 전생의 덕이 있다는 반증이다.

남편 카르마에 엮여 들어가는 여자들은 대부분 남자의 생계를 책임지는 경우가 많다. 한마디로 남편의 호구가 되어 열심히 희생하는 케이스인데, 이것이 바로 남편 카르마인 것이다. 배우자 카르마를 타고난 여자가 다시 새로운 남자를 만나도 또다시 그 남자의 생계를 대신 짊어진다면, 그 속에서 깨달음을 얻을 때까지 비숫한 상황만을 반복될 뿐이다. 박복한 카르마를 가진 여자는 남자를 교체하여도 비슷한 상황이 계속 연출되는 것이다.

이럴 때는 마음을 고쳐먹는 수밖에 없다. 배우자 카르마가 있다는 것을 깨닫고 이 카르마가 완전히 끝날 때까지 독신으로 열심히 돈을 모으는 것이 그나마 가장 좋은 방법이다.

카르마가 끝나지 않으면 끝날 때까지 무한 반복이 이루어진다. 이것이 카르마의 법칙 중 하나이다.

출처《지혜와 통찰의 서「카르마와 인연법」 태라전난영 지식공감 2022.7.22. 》

AskUp Q&A	55

부모와 자식 , 카르마와 인연과의 관련성은

부모와 자식 간의 카르마와 인연은 매우 밀접한 관계를 가지고 있습니다. 다음은 일반적인 관찰입니다:

1. 카르마 관점
- 선조의 행동과 선택: 부모의 과거 행동과 선택은 자식의 카르마에 영향을 줄 수 있습니다. 부모의 행동이 자식의 삶

과 경험에 영향을 미칠 수 있으며, 가족의 선대성이 카르마적 영향을 갖는다고 믿습니다.

- 자식의 행동과 선택: 자식의 행동과 선택은 부모의 카르마에도 영향을 줄 수 있습니다. 자식의 행동이 부모의 경험과 결과에도 영향을 미칠 수 있습니다. 상호작용과 연결을 통해 카르마적 영향이 발생할 수 있습니다.

2. 인연 관점

- 가족적 연결: 부모와 자식은 가족적인 인연을 형성합니다. 이러한 인연은 서로를 위해 서로를 지원하고 사랑하며, 가족의 유대감과 결속을 형성하는데 중요한 역할을 합니다.

- 성장과 배움: 부모와 자식 간의 인연은 서로의 성장과 배움을 위한 기회를 제공합니다. 부모는 자식에게 가르치고 지도하며, 자식은 부모로부터 배우고 성장할 수 있습니다.

부모와 자식 간의 카르마와 인연 관련성은 개인에 따라 다를 수 있지만, 부모의 행동과 선택이 자식에게 영향을 미치며, 가족적 연결과 성장을 통해 인연이 형성됩니다. 이러한 관계는 상호작용과 상호의존적인 연결을 갖고 있으며, 함께 성장하고 배우는 과정을 통해 발전할 수 있습니다.

보충내용

부모 카르마는 초년의 운을 좌지우지한다. 어떤 부모를 만나느냐가 초년의 습관이나 성격을 형성하는데 큰 영향을 미치며, 양육과 보호 그리고 학업과 연관되어 있기 때문에 좋은 부모를 만나는 것은 가장 큰 복이다.

한편 아버지 카르마를 가진 사람들은 대체적으로 생활력이 강하다. 부모의 이혼으로, 혹은 아버지의 사업실패로 인해 가난을 체험 이들은 삶의 무게에 단련되어 어디에 내놓아도 악착같이 살아남을 정도로 자아가 강하다. 즉 아버지의 무너짐이 이들을 더욱 단련시켰던 것이다.

출처 《지혜와 통찰의 서 「**카르마와 인연법**」 태라전난영 지식공감 2022.7.22. 》

부모로서의 알뜰한 사랑의 정과 그것을 초월하는 통찰의 균형은 모든 인간, 모든 영혼들이 평등하게 창조되어 있다는 근본적인 진리를 인정함으로써만 가능하다. 케이시 리딩이 즐겨쓰는 표현에 따르면, 부모란 "생명이 흘러 영혼이 육체로 깃들어지기 위한 물길"이다. 또한 리딩의 말들에 따라 밝혀지는 것은, 부모와 자식의 관계는 어떤 것이든 우연한 관계로 볼 수가 없다는 것이다. 대개 어떤 경우에나 부모의 한쪽 또는 양쪽에 전생으로부터의 인연이 있다. 케이시 파일에는 자식이 부모 가운데 한쪽에는 카르마의 유대를 가지고 있지만 다른쪽에는 가지고 있지 않은 경우도 몇 가지가 있다. 그런 경우에는 현생에서 처음으로 부모 자식 관계를 맺은 쪽은 냉담해지는 경향이 있다. 태어나는 아이는 부모를 자유롭게 선택할 수 있다는 견해를 케이시 리딩은 상당히 잘 입증해주고 있다. 아무튼 부모의 선택은 태어나려는 영혼의 특권인 것처럼 여겨진다.

출처《「윤회 행복한 삶을 위한 마음공부」지나서미나라 옮긴이 강태헌 도서출판 **파피에** 2020.11.3.》

아기는 머나먼 선대(先代)로부터 이어진 양쪽 가계가 합작해낸 유일무이한 창조물이다. 윤회론은 이런 감상들을 부정하지 않는다. 대령(大靈,Oversoal)이 아기의 몸으로 지상에 다시 돌아온 것이라는 점을 강조할 뿐이다. 그 아기는 대령으로서 출생 이전에도 존재했었다. 부모로부터 물려받은 몸과 기질은 그의 실체'가 아니라 선택된 '도구'이다. 그는 우리의 피조물도 아니고 소유물도 아니다. 우리 품에 안긴 그 아이는 우리보다 수천 년 이상 오래된 존재일 수도 있다. 이것은 충분히 숙고해볼 만한 주제이다. 윤회론이 부모자녀 관계에 주는 멋진 선물은 자녀를 한껏 열린 마음으로 바라보게 한다는 점이다.
우리의 운명은 우리의 자녀와 떼려야 뗄 수 없는 관계이다. 윤회론의 관점에서 삶에는 우연이 없다. 자녀의 카르마는 우리 카르마의 일부이고 그 역도 마찬가지다. 우리의 삶을 펼쳐가는 에너지장에는 당연히 자녀의 운명도 포함되어 있다.

출처《「윤회의 본질」크리스토퍼M.베이치 옮긴이 김우종
　　 정신세계사 2014.3.7. 》

사람들의 죽음, 카르마와 인연과의 관련성은

죽음과 카르마, 그리고 인연은 종종 종교적이고 철학적인
관점에서 다루어지는 주제입니다.

다음은 그 관련성에 대한 일반적인 이해입니다

1. 카르마와 죽음

- 카르마의 영향: 카르마는 개인의 행동과 선택에 따라 현재
와 미래에 영향을 미친다고 믿어지며, 이는 죽음 이후에도
계속해서 작용할 수 있다고 생각됩니다. 과거의 행동과 선택
이 죽음 이후의 경험과 결과에 영향을 줄 수 있습니다.
- 부활과 재탄생: 일부 종교 및 철학적인 전통에서는 죽음
이후에 부활이나 재탄생이 있다고 믿습니다. 이러한 부활이
나 재탄생은 개인의 카르마에 따라 형성되는 것으로 여겨집
니다.

2. 인연과 죽음:

- 인연의 이동: 죽음은 개인의 삶에서 물리적인 존재가 종료
되는 것이지만, 인연은 종료되지 않을 수 있습니다. 인연은
죽음 이후에도 계속해서 다른 형태로 이어질 수 있으며, 다
른 개인들과의 연결과 상호작용을 통해 형성될 수 있습니다.
- 선대성과 영향: 가족, 친구, 사회적 관계 등과의 인연은 죽
음 이후에도 영향을 미칠 수 있습니다. 선대성은 부모와 자
식, 조부모와 손자 등을 통해 계속해서 이어질 수 있으며,
과거 세대들의 영향이 계속해서 현재와 미래의 인연에 영향
을 줄 수 있습니다.

  죽음과 카르마, 그리고 인연의 관련성은 종교, 철학, 문화에
따라 다양하게 이해될 수 있습니다. 이는 개인의 신념과 관
점에 따라 달라질 수 있으며, 각자가 자신만의 해석과 이해
를 형성할 수 있습니다.

보충내용

살아 있는 것은 인생의 전부가 아닙니다. 죽음은 인생의
끝이 아닙니다. 전체 내지 중심에서 바라보면 죽음은 단
지 다른 삶의 탄생이며, 우주의 중심을 향하여 한 사람이
이동해 가는 경험에 불과합니다.

운명이란 영혼(靈魂)이 스스로의 의지로써 창조적 에너지에 대해 어떤 관계(關係)를 가져 나가는 과정(過程)입니다.

출처 《「**윤회** 행복한 삶을 위한 마음공부」 지나서미나라 옮긴이
강태헌 도서출판 **파피에** 2020.11.3.》

AskUp Q&A	57

다양한 종류의 죽음, 카르마와 인연과의 연관성은

다양한 종류의 죽음과 카르마, 그리고 인연의 관계성은 다양한 신념 체계와 철학적인 전통에 따라 다를 수 있습니다. 다음은 몇 가지 일반적인 예시입니다

1. 자연적인 죽음과 카르마와 인연

- 자연적인 죽음: 본래로서의 자연적인 죽음은 생명주기의 일부로서 자연의 과정에 따라 발생하는 죽음을 의미합니다. 이 경우, 개인(個人)의 카르마와 인연(因緣)은 다음 생명주기로 이어질 수 있다고 여겨집니다. 개인의 행동과 선택은 다음 생에 영향을 미치는 카르마(Karma)의 결과(結果)를 형성할 수 있습니다.

2. 비자연적인 죽음과 카르마와 인연:

- 비자연적인 죽음: 사고, 질병, 사회적인 요인 등에 의해 비자연적인 방식으로 죽음이 발생하는 경우도 있습니다. 이러한 경우에도 카르마와 인연은 개인의 죽음 이후에도 영향을 줄 수 있습니다. 비자연적인 죽음으로 인해 카르마적인 결과가 형성될 수 있으며, 인연 역시 다른 형태로 이어질 수 있습니다.

3. 의식적인 죽음과 카르마와 인연:

- 의식적인 죽음: 일부 종교 및 신념 체계에서는 의식적인 죽음, 즉 의지에 의해 자의적으로 죽음을 맞이하는 것을 지향하는 경우도 있습니다. 이러한 경우에도 개인의 카르마와 인연은 죽음 이후에도 영향을 미칠 수 있습니다. 의식적인 죽음은 카르마(Karma)적인 순환에서 벗어나고 인연을 해소하는 기회로 여겨질 수도 있습니다.

죽음과 카르마, 그리고 인연의 관계성은 다양한 문화와 신념 체계에서 개인에 따라 다르게 이해될 수 있습니다. 이는 개인의 신념과 철학, 문화적인 배경에 따라 달라질 수 있으며, 각자가 자신만의 해석과 이해를 형성할 수 있습니다.

사람들의 전생, 카르마와 인연과의 관련성은

전생(前生)과 카르마(業)의 인연(因緣) 관련성은 일부 종교 및 철학적인 전통에서 다루어지는 몇 가지 일반적인 개념을 소개해 드리겠습니다

1. 전생(前生): 일부 신앙 체계와 종교에서는 인간의 영혼이 여러 번의 생애를 거쳐 재탄생한다고 믿습니다. 이것은 영혼이 죽음 이후에도 존속하며, 다음 생에 다시 태어나는 것을 의미합니다. 전생은 이전 생애에서의 행동과 선택에 의해 영향을 받고, 다음 생애에서의 경험과 결과를 형성하는 데에 연결될 수 있습니다.

2. 카르마(業): 카르마는 행동의 법칙으로써, 개인의 행동과 선택이 미래에 영향을 미친다고 믿어지는 개념입니다. 전생에서의 행동과 선택은 현재 생애의 카르마를 형성하며, 미래 생애에서도 영향을 미칠 수 있다고 여겨집니다. 좋은 행동과 선택은 긍정적인 카르마를 형성하고, 나쁜 행동과 선택은 부정적인 카르마를 형성할 수 있습니다.

3. 인연(因緣): 전생과 카르마의 관점에서, 인연은 개인들 사

이의 연결과 상호작용을 의미합니다. 전생에서의 인연은 다음 생애에서도 이어질 수 있으며, 서로 다른 개인들과의 상호작용을 통해 형성될 수 있습니다. 인연은 카르마와도 연결되어 있으며, 과거 인연이 현재와 미래의 인연에 영향을 줄 수 있습니다.

전생과 카르마의 인연 관련성은 종교, 철학, 문화에 따라 다양하게 이해될 수 있습니다. 이는 개인의 신념과 관점에 따라 달라질 수 있으며, 각자가 자신만의 해석과 이해를 형성할 수 있습니다.

보충내용

고대 인도인들이 인간의 몸을 연구해 『베다』에 밝힌 내용을 보면, 우리는 지상에 있을 때 3개의 몸을 갖고 산다고 합니다. 육체(gross body), 미세체(subtle body), 원인체(causal body) 이렇게 3개의 몸을 갖고 있다고 합니다. 여기서 미세체와 원인체는 영체(靈體)라고 할 수 있습니다. 원인체는 영원히 존재하는 인간의 영혼을 말함이요, 미세체는 원인체와 육체를 매개하는 역할을 한다고 합니다. 그래서 미세체는 육신이 사라지면 시차를 두고 그 뒤를 따라 사라진다고 합니다. 원인체에는 내가 이 세상에 나타난 이래로 겪은 모든 경험들이 저장되어 있는데 그 중에서 이번 생에 가져갈 카르마를 스스로 선택한다고 합니다. 그 구체적인 내용은 이렇습니다. 즉 다음 생에 어떤 육신을 갖고 태어날지, 어떤 가정에 태어날지, 어떤 직업을 가질지, 어떤 인간관계를 맺을지, 어떤 사건을 겪을지 등을 결정한다고 합니다.

이렇게 사전에 정하는 것은 내 카르마를 소멸할 수 있는 최적의 환경을 만들기 위해서라고 합니다. 우리가 어떤 조건과 환경에 태어나는 그것은 모두 자신의 카르마를 해결하기 위해 만들어낸 것입니다. 카르마의 선정 작업이 끝나면 원인체는 그 정보를 가지고 미세체라는 프로그램을 만듭니다.

이렇게 만들어진 미세체는 태아가 생길 때부터 관여하여 그 안에 저장되어 있는 정보대로 나를 만들어갑니다. 자신에게 저장된 프로그램에 따라 다음 생의 육신과 마음을 빚는 것입니다.

내가 세상에 태어난 후에는 이 미세체가 나의 육신과 긴밀한 관계를 가지면서 이미 저장해 놓은 정보대로 삶이 흘러가게 만듭니다. 태어나기 전에 계획한 일들이 문제없이 발생하도록 조정하는 것입니다. 이처럼 미세체는 평생 육체와 함께 갑니다. 그러다가 육신이 죽음을 맞이하면 미세체의 소명도 끝이 납니다. 이 미세체에는 해당 생에 내가 행한 모든 언행과 생각이 저장되어 있습니다. 그래서 육신이 멸한 후에 미세체는 그 생 동안 저장한 정보를 원인체에 넘깁니다. 이 일이 끝나면 미세체는 육신의 뒤를 이어 흩어져 없어집니다.

출처 《 「너무 늦기 전에 들어야 할 **카르마 강의**」 최준식 김영사 2021.6.30.》

*베다: 고대 인도 종교, 지식과 제례 규정을 담고 있는 문헌. 브라만교의 성전(聖典)을 총칭하는 말로도 쓰임

출처 《 네이버 지식백과 》

AskUp Q&A	59

사람들의 사고방식, 카르마와 인연과의 연관성은

사고방식과 카르마, 그리고 인연 간에는 연관성이 있을 수 있습니다.

카르마는 행동과 의도에 따라 현재와 미래의 경험과 상황이 영향을 받을 수 있다는 개념입니다. 이는 개인의 사고방식이 카르마에 영향을 줄 수 있다는 것을 의미할 수 있습니다.

예를 들어, 긍정적이고 건강한 사고방식을 갖는 사람은 자신과 주변 사람들에게 긍정적인 영향을 미칠 가능성이 높습니다. 이는 카르마(Karma)에 따라 긍정적인 결과(結果)를 만들어낼 수 있습니다.

또한, 인연(因緣)은 사람들 간의 연결(連結)과 상호작용(相互作用)을 의미합니다. 사고방식은 우리가 다른 사람들과의 관

계를 형성하고 유지하는 방식에 영향을 줄 수 있습니다. 긍정적(肯定的)인 사고방식(思考方式)을 가진 사람은 더욱 건강하고 긍정적인 인연(因緣)을 형성할 가능성(可能性)이 높습니다.

하지만 이러한 관련성은 개인과 상황에 따라 다를 수 있으며, 카르마와 인연은 복잡한 개념이기 때문에 절대적인 규칙이나 연결성을 단언하기는 어렵습니다.

AskUp Q&A	60

사람들의 행동, 카르마와 인연과의 관련성은

행동(行動)과 카르마(業), 그리고 인연(因緣) 간에는 밀접한 관련성(關聯性)이 있을 수 있습니다.

카르마는 행동의 결과와 원인 간의 관계를 설명하는 개념입니다. 우리의 행동은 카르마를 형성하고, 이는 우리의 경험과 상황에 영향을 미칠 수 있습니다. 좋은 행동은 긍정적인 카르마를 형성하여 좋은 결과를 가져올 가능성을 높여줄 수 있습니다. 반대로, 나쁜 행동은 부정적인 카르마를 형성하여 부정적인 결과를 초래할 수 있습니다.

인연(因緣)은 우리가 다른 사람들과 형성(形成)하는 관계(關係)를 의미(意味)합니다. 우리의 행동은 다른 사람들과의 인연을 형성하고 유지하는 데 영향(影響)을 줄 수 있습니다. 좋은 행동과 긍정적인 태도는 좋은 인연을 형성하고, 서로에게 긍정적인 영향을 미칠 수 있습니다.

하지만 행동(行動)과 카르마(業), 인연(因緣) 간의 관련성은 복잡(複雜)하며, 각각의 개인(個人)과 상황(狀況)에 따라 다를 수 있습니다. 또한, 카르마(Karma)와 인연은 종종 오랜 시간(時間)이 걸리기도 하며, 때로는 우리가 직접적으로 인식하지 못할 수도 있습니다. 따라서, 좋은 행동과 긍정적인 태도를 가지고 일상(日常)에서 노력(努力)하는 것은 카르마와 인연을 형성하는 데 도움이 될 수 있다고 말할 수 있습니다.

AskUp Q&A	61

사람들이 개인적으로 좋아하는 여성 취향, 카르마와 인연과의 관련성은

개인(個人)의 좋아하는 여성(女性) 취향(趣向)과 카르마(業), 그리고 인연(因緣) 간에는 연관성이 있을 수 있습니다.

카르마는 행동과 의도에 따라 현재와 미래의 경험과 상황이 영향을 받을 수 있다는 개념입니다. 우리의 행동(行動)과 의도(意圖)는 우리 자신(自身)과 주변 환경(環境)에 영향을 미치며, 그 결과(結果)로 인해 우리는 특정한 경험과 상황을 만들어낼 수 있습니다.

따라서, 좋아하는 여성 취향이 긍정적이고 건강한 가치관을 반영(反映)한다면, 이는 긍정적인 행동과 의도를 유발(誘發)할 수 있습니다. 이는 카르마에 따라 긍정적인 결과를 만들어낼 가능성(可能性)을 높여줄 수 있습니다.

또한, 인연(因緣)은 우리가 다른 사람들과 형성하는 관계(關係)를 의미합니다. 우리의 취향은 우리가 인연(因緣)을 형성하고 유지하는 데 영향(影響)을 줄 수 있습니다. 비슷한 가치관(價値觀)과 관심사를 가진 사람들과의 인연(因緣)은 더욱 강력하고 의미 있는 관계를 형성(形成)할 수 있습니다.

하지만 이러한 관련성은 개인과 상황에 따라 다를 수 있습니다. 또한, 카르마(Karma)와 인연(因緣)은 복잡한 개념이기 때문에 절대적인 규칙이나 연결성을 단언하기는 어렵습니다. 따라서, 자신의 좋아하는 여성(女性) 취향(趣向)을 가지고 긍정적인 행동과 의도를 추구(追求)하는 것은 카르마와 인연을 형성(形成)하는 데 도움이 될 수 있다고 말할 수 있습니다.

AskUp Q&A	62

사람들이 전생이 있다면, 카르마와 인연과의 관련성은

전생(前生), 카르마(業), 그리고 인연(因緣)에 대한 관점은 다양합니다.

일부 사람들은 전생(前生)이 존재하고 카르마와 인연이 현재 삶에 영향(影響)을 미친다고 믿습니다. 그들은 행동(行動)의 결과(結果)로서 현재와 미래의 경험을 형성(形成)하는 것으로 여깁니다.

하지만 전생, 카르마, 인연에 대한 증거적인 과학적 근거는 없으며, 이는 종교적 또는 철학적인 신념에 따라 다를 수 있습니다. 각 개인(個人)은 자신의 신념과 가치관을 가지고 있으며, 이에 대한 의견은 다양(多樣)할 수 있습니다.

그럼에도 불구하고, 인연(因緣)과 연결(連結)되어 있는 것처럼 느껴지는 경험(經驗)들은 우리의 삶에 의미(意味)를 부여할 수 있습니다. 그리고 서로를 돕고 사랑하며 배우는 것은 인간관계(人間關係)에 중요한 가치를 더할 수 있습니다.

보충내용

우리가 받아온 과학적인 교육의 영향으로 인간이 죽었다가 다른 인간으로 다시 태어난다는 사실을 받아들이기가 힘든 것입니다. 우리가 다른 인격으로 환생하는 것은 실험할 수 있는 것이 아닙니다. 때문에 당연히 검증할 수도 없습니다.

전생(前生)의 사건은 현생(現生)에 다시 반복(反復)된다. 전생에 풀지 못한 사건들은 현생에 다시 세팅되어 깨달음을 얻을 때까지 계속 반복되는 것이다. 이러한 이유 때문에 비슷한 유형의 인물(人物)을 만나서 비슷한 상황이 펼쳐지는 것이다.

이러한 상황이 펼쳐지는 이유(理由)는 내가 만들어 놓은 환경(環境)에 그러한 성향의 사람이 꼭 걸리기 때문이다. 전생의 인연을 현생에서 다시 마주치기 때문에 우연(偶然)한 만남이란 없으며, 전생의 인과(因果)에 의한 필연적 만남이 이루어지고 있는 것이다.

인연(因緣)의 세팅은 전생의 인과에 의해 결정된다. 즉 태어날 때부터 중요한 몇몇의 인연은 만나도록 세팅이 되어 있다는 이야기이다. 부모, 자식으로 형성된 인연(因緣)은 들간의 카르마(Karma)적 빚이 가장 큰 인연으로 세팅이 되고 이를 1차적 인연(因緣)이라고 한다면 배우자나 친구들의 인연은 2차적 인연(因緣)에 해당된다. 빚이 많은 관계가 가장 가깝게 형성이 되는 것이다. 가까이 서로 배우며 상생(相生)하라는 의미이다.

출처《지혜와 통찰의 서「카르마와 인연법」태라전난영 지식공감 2022.7.22.》

AskUp Q&A	63

화성 연쇄 살인 사건 (1986.9.15.~1991.4.3.), 서초동 화장실 살인사건 (2016.5.17.), 정유정 살인사건(2023.5.26. 부산광역시 금정구) 등등

이번 생에 살인한 사람들은 다음 생에서 그와 같은 벌을 받는지

카르마는 종교적이거나 철학적인 관점에서 다양하게 이해되는 개념입니다. 카르마에 대한 신념은 문화와 종교에 따라 다를 수 있습니다.

일반적으로, 카르마는 행동의 결과가 다음 생애에 영향을 미친다고 믿는 신념입니다. 이 관점에서는 살인(殺人)과 같은 부정적(否定的)인 행동은 미래(未來)에 벌을 받을 수 있다고 여깁니다. 그러나 이것은 실제로 어떻게 이루어지는지에 대한 구체적인 답을 제공하지 않습니다.

또한, 카르마(Karma)는 단순한 원인과 결과의 관계를 넘어서 심리적(心理的), 정서적(情緒的), 영적(靈的)인 영역에서도 이해(理解)되는 개념입니다. 따라서 벌과 보상은 국가 법률 체계에 따라 결정되기도 하며, 종교적인 카르마의 관점과는 다를 수 있습니다.

카르마(Karma)에 대한 심층적인 이해(理解)는 종교, 철학, 문화적인 맥락에 따라 다양(多樣)할 수 있으므로, 각자의 신념과 관점에 따라 다른 해석이 가능합니다.

보충내용

'눈에는 눈, 이에는 이'라는 경우를 떠올리며 징벌적인 의미로 이해하는 경우가 많습니다. 바로 이 질문이 그러한 카르마 법칙의 성질을 잘 보여주고 있습니다. 다르게 표현하면 '되갚음의 원칙'이라 할 수 있습니다. 그러니까 내가 이전 생에 다른 사람에게 했던 일을 이번 생에 그대로 받는 것입니다. 여기서 잊지 말아야 할 점은 이것은 좋은 일을 했을 때에도 통용된다는 것입니다. 내가 베푼 선행(善行)은 그게 언제가 되든지 때가 되면 그만큼 되돌려 받습니다. '대체로 그렇다'입니다. 만일 내가 다른 사람을 죽이면 언젠가는 나도 죽임을 당한다는 것입니다. 직접적인 되갚음의 원칙에 따라 이같은 일이 발생합니다. 그런데 여기에는 항상 변수(變數)가 있는 법입니다. 살인을 저지른 사람들은 이후의 삶에서 여러 가지 생각이나 행동을 합니다. 어떤 사람은 끝까지 반성하지 않는가 하면 어떤 사람은 진심으로 참회(懺悔)하는 행보를 이어 갑니다. 이런 것들이 변수(變數)가 되어 그들이 지은 부정적인 카르마가 다음 생에 과보로 나타날 때 사람마다 다양(多樣)하게 발현됩니다. 우리가 어떤 일은 할 때 행동으로 옮기지 않고 의도만 갖고 있어도 카르마가 생긴다고 했습니다. 살인(殺人)하려는 의도만 있어도 살인의 카르마가 만들어지겠지만 실제로 사람을 죽였을 때보다는 그 과보가 어느 정도 경미(輕微)하지 않을까 하는 생각이 듭니다. 결과적으로 사람을 죽이지는 않았으니까요. 또한 살인의도는 없었는데 결과적으로 살인을 했다면 이에 대한 과보(果報)를 받아야 할 것입니다. 여기에 또 다른 변수가 들어가면 그 과보는 앞서 언급했듯이 예측하기가 더 힘들어집니다. 수 많은 변수(變數) 때문에 해당 사건에 대한 과보(果報)를 예측하는 일이 쉽지 않다는 사실을 알게 됩니다.

출처《「너무 늦기 전에 들어야 할 카르마 강의」 최준식 김영사 2021.6.30.》

전생의 나와 이번 생의 나와는 같은 사람인지

전생(前生)에 대한 개념은 종교나 철학적인 신념에 따라 다르게 이해될 수 있습니다. 일부 사람들은 전생을 믿고 전생(前生)의 나와 현재(現在)의 내가 같은 영혼(靈魂)이라고 믿을 수 있지만, 다른 사람들은 이를 다르게 생각할 수도 있습니다. 이는 개인의 신념과 관점에 따라 다를 수 있습니다.

보충내용

이번 생의 나는 분명 전생의 나에게서 비롯되었습니다. 그런데 전생의 나와 이번 생의 나는 모든 것이 다릅니다. 조금 더 자세히 이야기 하면 전생의 나와 이번 생의 나는 같으면서도 같으면서도 다릅니다. '본체는 같으나 현현은 다르다' 는 것이지요. 즉 뿌리는 같지만 가지는 다르다는 말입니다. 전생의 나와 이번 생의 나는 원인체가 같다는 점에서 양자가 같다고 말할 수도 있습니다. 나머지 몸인 미세체와 육체는 두 생의 것이 같지 않습니다. 특히 미세체에 저장된 프로그램이 다르기 때문에 두 생의 '나' 는 같을 수 없습니다. 당연한 결과로 이 두 생의 몸도 다를 수 밖에 없습니다.

출처《「너무 늦기 전에 들어야 할 **카르마 강의**」 최준식 김영사 2021.6.30.》

카르마라는 것은 인간에게만 적용되는 것인지

카르마(Karma)는 주로 인간(人間)에게 적용되는 개념으로 다루어지지만, 일부 종교 체계에서는 다른 생명체나 자연 현상에게도 카르마가 적용될 수 있다고 믿는 경우도 있습니다.

예를 들어, 불교에서는 인간뿐만 아니라 동물이나 식물 등 다른 생명체도 카르마의 영향을 받을 수 있다고 생각합니다.

또한, 일부 철학적인 관점에서는 자연의 원리나 우주적인 법칙에 따라 모든 것이 어떤 형태로든 상호작용하고 결과를 초래한다고 믿을 수 있습니다. 따라서, 카르마(Karma)의 적용 범위는 신념(信念)과 관점(觀點)에 따라 다를 수 있습니다.

보충내용

사람들은 의외로 인간과 동물의 차이를 간과(看過)합니다. 특히 동물과 가깝게 사는 사람들은 동물도 사람의 말을 알아듣고 의사를 정확히 표현한다고 생각하는 경향이 있습니다. 그러나 이것은 모두 인간이 동물에게 자신의 생각을 투사(投射)하여 어림짐작을 하는 것입니다. 동물(動物)에게는 생각할 수 있는 능력(能力)이 없습니다. 단지 감정(感情)이 있어 느낄 수 있을 뿐입니다. 그에 비하여 인간은 생각할 수 있는 능력을 가지고 있습니다. 이것은 오로지 인간에게만 자의식(Self-Consciousness)이 있기 때문입니다. 자의식(自意識)이란 자신(自身)을 객관화할 수 있는 의식(意識)을 말합니다. 이 때문에 인간은 자신이 존재(存在)한다는 사실을 알고 있고 그로 인해 자신이 존재하지 않게 된다는 사실, 즉 죽는다는 것도 알고 있습니다. 자의식이 없는 동물(動物)은 자신이 존재(存在)한다는 것도 모르고 죽는다는 것도 모릅니다. 선(善)과 악(惡)을 이분법적으로 나누어 이해(理解)하는 것은 자의식을 지닌 인간(人間)만이 갖고 있는 능력입니다. 자의식이 없는 동물에게는 선악 구분이 통용되지 않습니다. 동물은 그저 본능에 충실할 뿐입니다. 동물에게는 카르마 법칙이 적용되지 않습니다. 인간(人間)에게만 카르마 법칙이 적용됩니다. 우리가 죄(罪)를 지었다면 인간으로 다시 태어나 혹독한 대가를 치러야 합니다.

출처《「너무 늦기 전에 들어야 할 **카르마 강의」** 최준식 김영사
2021.6.30.》

| AskUp Q&A | 66 |

인간의 삶과 카르마와의 관계는

인간(人間)의 삶과 카르마(Karma) 사이의 관계는 다양한 종교, 철학, 신념 체계에 따라 다르게 이해될 수 있습니다. 카르마(Karma)는 힌두교와 법률 철학에서 사용되는 개념으로, 행위와 그 결과 간의 인과(因果) 관계(關係)를 다룹니다.

한 관점에서는 인간의 삶은 카르마의 결과(結果)로 이해될 수 있습니다. 즉, 개인(個人)의 행위와 선택에 따라서 좋은 행위(行爲)는 좋은 보상을 가져오고, 나쁜 행위(行爲)는 나쁜 결과를 초래(招來)할 수 있다고 생각할 수 있습니다. 이러한 해석에서는 인간(人間)의 행동(行動)이 카르마적인 영향을 받으며, 현재와 미래의 경험(經驗)과 결과(結果)에 영향을 미칠 수 있다고 믿을 수 있습니다.

또 다른 관점(觀點)에서는 카르마는 단순히 행위와 결과 간의 인과 관계를 넘어 개인의 성장과 변화, 즉 "내부적인 카르마"를 다루기도 합니다. 이 관점에서는 인간의 삶은 자기 개발(自己開發)과 깨달음을 통해 더 나은 상태(狀態)로 진화하고 성장할 수 있는 기회를 제공한다고 이해될 수 있습니다.

마지막으로, 일부 신념 체계에서는 카르마를 보상(報償)과 벌을 결정하는 절대적인 힘으로 이해하지 않고, 단순히 행위와 결과 간의 상호작용(相互作用)을 설명하는 상대적인 개념으로 받아들이기도 합니다.

요약하자면, 인간(人間)의 삶과 카르마 사이의 관계(關係)는 다양한 해석과 이해가 가능합니다. 개인의 신념과 관점에 따라 다르게 이해되며, 카르마는 행위와 결과 간의 인과(因果) 관계를 다루는 것뿐만 아니라 개인의 성장과 변화, 내부적인 카르마 등 다양(多樣)한 측면을 포함할 수 있습니다.

인간의 삶에서 카르마의 비중은 어느 정도인지

카르마(Karma)의 비중은 개인의 신념과 관점에 따라 다를 수 있습니다. 일부 사람들은 카르마가 인간의 삶에서 매우 중요한 역할을 한다고 믿습니다. 그들은 인간의 행동(行動)과 행위(行爲)가 미래의 결과와 보상에 직접적인 영향(影響)을 미친다고 여깁니다. 이러한 관점에서는 카르마(Karma)가 인간(人間)의 삶에서 매우 큰 비중(比重)을 차지한다고 볼 수 있습니다.

그러나 다른 사람들은 카르마를 상징적인 의미로 받아들이거나 다른 요소들과 함께 고려하는 경우도 있습니다. 인간의 삶은 다양한 요소에 의해 영향을 받으며, 카르마(Karma) 또한 그 중 하나일 수 있습니다. 따라서, 카르마의 비중은 개인의 신념, 문화적 배경, 종교적인 관점 등에 따라 다양하게 해석될 수 있습니다.

남자의 바람기, 카르마와 관계가 되는지

남자의 바람기와 카르마 사이의 관계는 종속적(從屬的)인 요소에 따라 다르게 이해(理解)될 수 있습니다.

한 관점에서는 남자의 바람기가 부정적인 행위를 의미하며, 그로 인해 나쁜 카르마(Karma)를 불러올 수 있다고 생각할 수 있습니다. 즉, 다른 사람들에게 상처를 주거나 배신하는 행위는 카르마적 보상(報償)이나 결과(結果)를 초래할 수 있다고 볼 수 있습니다.

그러나 다른 관점(觀點)에서는 남자의 바람기와 카르마 사이의 연관성을 더 복잡(複雜)하게 이해할 수도 있습니다. 예를 들어, 카르마는 행위뿐만 아니라 동기와 의도, 성장과 변화, 그리고 회복과 변화에 따른 영향(影響)을 고려하는 개념입니다.

따라서, 남자의 바람기가 단순히 부정적(否定的)인 행위로 이해되기보다는, 그 행위의 동기(動機)와 의도(意圖), 그리고 개인의 성장과 변화에 따라 카르마적 영향을 평가할 수도 있습니다.

결론적으로, 남자의 바람기와 카르마 사이의 관계는 개인(個人)의 신념(信念), 문화(文化), 종교(宗敎), 철학(哲學)에 따라 다를 수 있습니다. 이러한 개념들은 다양한 해석과 이해가 가능하며, 개인의 신념과 관점에 따라 다르게 이해(理解)될 수 있습니다.

뇌졸중(중풍)으로 쓰러진 시어머니를 수년 동안 모셔 온 며느리, 카르마와 인연과의 관련성은

카르마는 종교적이거나 철학적인 개념으로, 행위와 그 결과 사이의 인과 관계를 다룹니다. 그러나 카르마는 개인의 행동에 대한 결과를 단순히 이전 행동의 보상 또는 벌로 해석하는 것은 아닙니다.

따라서, 시어머니를 돌보는 뇌졸중(腦卒中)으로 인해 어려움을 겪는 며느리의 상황(狀況)을 카르마(Karma)적인 관점에서 해석하기는 어렵습니다. 카르마(Karma)는 보상과 벌을 결정하는 절대적인 힘이 아니며, 개인의 삶과 상황에 영향을 미치는 다양한 요소들이 복잡하게 얽혀있습니다.

며느리가 시어머니를 돌보는 것은 가족적인 책임과 애정에 기반한 선택이며, 어려운 상황(狀況)에서의 돌봄과 헌신은 인간적인 가치와 더 가까운 것으로 이해됩니다. 이러한 선택과 행동은 카르마(Karma)와 직접적인 연관성을 갖지 않지만, 인간적인 관계와 상호작용(相互作用)에 따라서 가족 구성원들의 연결과 성장에 영향을 줄 수 있습니다.

따라서, 며느리의 상황은 카르마적(Karma)인 관점에서 해석하기보다는 인간적(人間的)인 관계(關係)와 돌봄에 초점을 두

는 것이 적절할 것입니다. 이해와 지원을 통해 가족의 유대
와 성장을 돕는 것이 중요합니다.

> **홀로된 시아버지를 20년 이상 모셔온 며느리, 카르마
> 와 인연과의 관련성은**

카르마(Karma)는 행위와 그 결과 간의 인과 관계를 다루는
개념입니다. 그러나 카르마(Karma)는 개인의 행동에 대한 결
과를 단순히 이전 행동의 보상 또는 벌로 해석하는 것은 아
닙니다.

홀시아버지를 20여년 동안 모시는 것은 가족적인 책임과 애
정에 기반한 선택이며, 어려운 상황(狀況)에서의 돌봄과 헌
신은 인간적인 가치와 더 가까운 것으로 이해됩니다. 이러한
선택과 행동은 카르마(Karma)와 직접적인 연관성을 갖지 않
지만, 가족 구성원들 간의 연결(連結)과 성장(成長)에 영향을
줄 수 있습니다.

카르마(Karma)는 단순히 이전 행동의 결과를 나타내는 것
이 아니라, 개인(個人)의 성장과 깨달음을 통해 더 나은 상
태(狀態)로 진화하고 성장(成長)할 수 있는 기회를 제공한다
고 이해(理解)될 수 있습니다. 따라서, 며느리가 홀 시아버지

를 모시는 것은 카르마적(Karma)인 관점에서 해석하기보다
는 가족(家族)의 유대와 성장을 위한 선택으로 이해할 수 있
습니다.

중요한 것은 가족 간의 연결과 관계, 상호작용을 통해 서로
에게 지지(支持)와 사랑을 제공하고 성장(成長)하는 것입니
다. 이러한 관점에서 며느리의 상황은 카르마(Karma)보다는
인간적(人間的)인 가치와 관계에 초점을 맞추는 것이 적절할
것입니다.

AskUp Q&A	71

**사람들은 왜 매번 같은 실수를 반복하는가. 카르마와
인연과의 연관성은**

인간들이 매번 같은 실수를 반복(反復)하는 이유는 다양한
요인이 있을 수 있습니다. 실수를 반복하는 것은 인간의 특
성과 행동 패턴, 환경 요소, 학습 및 경험 등의 다양(多樣)한
영향(影響)을 받을 수 있습니다. 카르마(Karma)와 인연(因緣)
의 개념은 이와는 조금 다른 측면을 다루는데요.

카르마는 행동과 그 결과 간의 인과(因果) 관계를 의미합니
다. 이는 과거의 행동(行動)이 현재와 미래에 영향을 미친다
는 개념입니다. 카르마는 어떤 행동을 했을 때 그에 대한 결

과로서 보상(報償) 또는 벌을 받는다고 설명되기도 합니다.

실수를 반복하는 것과 카르마와의 연관성은 상황(狀況)에 따라 다릅니다. 일부 사람들은 반복적인 실수를 통해 어떤 교훈(敎訓)을 얻고 성장할 수 있습니다. 그들은 자신의 행동과 결과 사이의 인과 관계를 인식하고 변화(變化)를 이끌어 냅니다.

하지만 일부 다른 사람들은 반복적인 실수를 반복하며 자신의 행동에 대한 깨달음을 얻지 못할 수도 있습니다. 이는 다양(多樣)한 이유(理由)로 인해 발생할 수 있습니다. 개인의 심리적인 요인, 행동 패턴의 강화, 환경의 영향 등이 그 예시일 수 있습니다.

따라서, 실수를 반복(反復)하는 것과 카르마 또는 인연의 연관성은 개인(個人)과 상황(狀況)에 따라 다를 수 있습니다. 중요한 것은 우리가 실수를 통해 배우고 성장하는 것에 초점을 맞추고, 자신의 행동과 결과 사이의 관계를 인식하여 더 나은 선택(選擇)을 할 수 있도록 노력(努力)하는 것입니다.

보충내용

우리가 같은 실수를 되풀이하는 진짜 이유(理由)는,

그때나 지금이나 정신적(精神的)으로 나아진 것이 하나도 없기 때문입니다. 예전과 똑같은 사고방식(思考方式)으로 새로 생긴 문제에 대응(對應)하기 때문에 또 실수를 하는 겁니다.

예전에 범한 실수의 원인이었던 감정적 컴플렉스와 의식의 사각지대가 사라지지 않은 상태, 즉, 실수를 통해 성장(成長)하지 못한 상태에서 같은 문제를 만나니까 딱 그 수준에 맞게 행동하며 또 같은 실수를 하는 것입니다.

삶에서 문제(問題)가 터지고 일이 뜻대로 잘 풀리지 않는 이유를 합리화하려는 습관 역시 정신적 성장 수준과 관련이 있습니다. '변명(辨明)'은 내가 아직 풀지 못한, 마무리하지 못한 일의 일부(一部)입니다. 사람이 하는 변명을 들어보면 그의 심리적 상태와 성장 수준을 대략 알 수 있습니다. 우리는 삶에서 일어나는 거의 모든 일에 변명(辨明)을 갖다 붙입니다.

변명(辨明)과 합리화(合理化)는 성장을 가로막고 지연시키는 장애물(障碍物)이며, 내가 반드시 배워야 할 교훈(教訓)을 피해가도록 부추기는 유혹(誘惑)이라는 사실을 깨닫지 못합니다.

우리가 일상(日常)에서 무의식적으로 드러내는 부정적(否定的)인 성향과 기질은 사실 지난 2만년, 3만년, 심지어 5만년 넘게 우리를 괴롭혀왔던 문제(問題)가 또

다시 수면 위로 떠오른 현상에 불과합니다.

출처 《「환생,카르마 그리고 죽음 이후의 삶」 맨리 p.홀
옮긴이 윤민+남기종 마름돌 2019.4.1.》

AskUp
Q&A | 72

사람들이 자신의 카르마를 해소할 수 있는 방법은

사람들이 자신의 카르마를 해소(解消)하기 위해 몇 가지 방법(方法)을 고려할 수 있습니다. 다음은 그 중 일부입니다:

1. 자기 인식과 성장: 자기 인식을 향상시키고 내면 성장에 주의를 기울입니다. 자신의 행동과 그 결과에 대해 깊이 생각하고 반성하는 시간을 가져보세요. 이를 통해 자신의 카르마적인 패턴을 인식하고 변화할 수 있는 기회를 얻을 수 있습니다.

2. 죄송과 용서: 과거에 저지른 실수나 잘못에 대하여 책임을 인정하고 관련된 사람들에게 죄송하다고 말할 수 있습니다. 또한 자신에게 용서를 구할 수도 있습니다. 이를 통해 마음의 부담을 덜고 카르마적인 연결을 풀어나갈 수 있습니다.

3. 긍정적인 행동과 선행: 카르마적인 연결을 해소하기 위해 긍정적인 행동과 선행을 실천해보세요. 다른 사람들에게 도움을 주는 일, 자선 활동에 참여하는 등의 긍정적인 행동을 통해 자신의 카르마적인 영향을 바꿀 수 있습니다.

4. 자기 돌봄과 안락함: 자기를 돌보고 안락함을 찾는 것도 카르마 해소에 도움이 될 수 있습니다. 스트레스를 관리하고 휴식과 재충전에 충분한 시간을 할애하세요. 이를 통해 마음과 영혼의 평형을 유지하고 카르마적인 효과를 완화할 수 있습니다.

5. 긍정적인 태도와 감정 관리: 긍정적인 태도를 가지고 어려움을 대처하며, 감정을 잘 관리하는 것도 중요합니다. 부정적인 감정이 카르마적인 연결을 강화시킬 수 있으므로, 긍정적인 태도와 감정 관리를 통해 카르마의 영향을 해소할 수 있습니다.

이러한 방법들은 개인의 상황과 성향에 따라 다르게 적용될 수 있습니다. 중요한 것은 자신의 카르마를 해소하기 위해 지속적으로 노력하고 성장하는 것입니다.

보충내용

카르마 해소

○ 자기규율

인간은 본능적(本能的)으로 상식을 거부하고 이에 저항한다는 생각은 잘못된 것입니다. 그렇지 않습니다. 하지만 리더십이 부족한 상태에서는 저급한 본능과 충동을 따르며 방황(彷徨)할 수 있습니다. 행동은 원칙(原則)을 따르고, 생각은 이상(理想)을 따라야 합니다. 내가 선택한 종교의 가르침을 일상에서 실천(實踐)하는 것이 중요합니다. 구체적인 사상적 배경을 불문하고 올바름에 대한 정의, 관점, 원형이 있어야 합니다. 믿음도 있어야 합니다.

실행(實行)으로 옮겨야 가치(價値)를 지닐 수 있습니다. 잘못된 신념 또는 믿음은 실행하는 과정에서 그 한계가 명확하게 드러납니다. 선을 행하고는 싶지만, 실천으로 옮기지 못하는 사람의 마음속에는 깨달음에 대한 갈망은 있습니다. 세상에 노력(努力) 없이 성취할 수 있는 것은 없습니다.

○공덕(功德)

불교 철학에서 많이 쓰이는 '공덕'이라는 단어는 '신념을 입증하는 행동'을 의미합니다. 즉, 내가 신성하다고 여기는 일을 행하는 것, 전보다 높아진 통찰력으로 행하고 성취하는 것이 곧 공덕을 쌓는 것입니다. 공덕을 쌓을 때마다 통찰력(洞察力)이 깊어지고 시야가 넓어지는 보상을 얻습니다. 신념에 따라 행동하면서 내면의 삶이 지속적(持續的)으로 향상되는 현상(現狀)이 바로 공덕입니다.

우주의 절차는 보편적이며 필연적입니다.

우주적 절차는 또한 법칙에 순응하는 것에 보상(報償)을 선사하고 법칙에 역행하는 것에 벌을 내립니다. 따라서 우리가 원하는 행복, 평온, 안전은 우주적 절차를 수용하고 법칙에 순응(順應)했을 때만 얻을 수 있는 것입니다.

인간이 하는 모든 일을 평가하고 최후의 심판을 내릴 수 있는 주체는 자연(自然)과 우주(宇宙)의 법칙뿐입니다. 우주의 법칙을 준수하면 행복이 쌓이고, 깨면 불행이 쌓입니다.

○ 성장과 배움

어리석은 인간들은 삶이 산산 조각나고 있음에도 불구하고 자존심과 이기심 때문에 내 잘못을 도저히 인정할 수 없다면, 어떤 경우에도 내 생각이 옳아야 한다는 마음에 사로잡혀 있다면, 이건 전생에서 끌고 온 카르마라고 봐야 합니다.

인간에게 고통을 가져다주는 가장 큰 장애물은 바로 나에게는 잘못이 없다는 착각입니다.

삶을 대하는 자세를 바꾸면 묵은 옛 카르마도 점차 해소됩니다. 카르마는 언젠가는 반드시 해결되어야 할 문제가 우리에게 가하는 자극입니다. 인간의 나약함이 계속 쌓이는 것이 카르마입니다.

나쁜 카르마는 수천 년에 걸친 타협(妥協)의 산물입니다. 신념을 저버리고 영혼(靈魂)을 팔아먹은 행위에 따른 정당한 형벌입니다. 카르마는 역사를 구성하는 모든 요소의 총합입니다.

우리 안에는 나를 변화(變化)시키는 힘이 있습니다. 새로운 나의 새로운 행동을 뒷받침할 수 있는 의지와 에너지도 있습니다. 규칙도, 원칙도, 행동 규범도 없는 상태에서 잘 살 수 있는 사람은 없습니다.

지식에 대한 통찰을 지우고, 일상에서 삶의 기본적인 법칙을 지키는 지혜(智慧)를 발휘하면 우주를 깊게 이해할 수 있는 자산이 계속 축적됩니다.

카르마가 분쇄(粉碎)되는 과정에서 그 힘이 우리를 향할 때 고생하고 "왜 나에게만 저주를 내리느냐!"고 소리치며 세상을 원망하게 되는 것입니다.

카르마는 저주가 아니라 '지난번에 끝내지 못한 일'

이라는 생각으로 삶에 임하면 불필요한 괴로움도 사라집니다.
인생(人生)은 흥미롭고 소중한 체험(體驗)의 연속(連續)입니다.

출처《「환생,카르마 그리고 죽음 이후의 삶」 맨리 p.홀
옮긴이 윤민+남기종 마름돌 2019.4.1.》

사람들은 전생에 업보를 가지고 태어나는 것인가

전생(前生)에 대한 개념은 종교(宗敎) 및 신화적(神話的)인 관점에서 다루어지는 경우가 많습니다. 일부 종교 및 신화적인 전통에서는 전생(前生)이 존재하며, 이전 생애에서의 행동과 업보가 현재 생애에 영향을 끼친다고 믿을 수 있습니다. 그러나 전생(前生)에 대한 증거적인 과학적 근거는 없으며, 이는 종교적 또는 철학적인 논의의 영역입니다.

과학적으로는 전생(前生)에 대한 증거를 찾는 것은 어려운 일이며, 현재까지는 이를 입증할 수 있는 과학적인 연구 결과가 없습니다. 인간의 삶과 행동은 다양(多樣)한 요인(要因)

에 의해 영향을 받으며, 유전적인 요소, 환경 요소, 학습과 경험 등이 그 중 일부입니다.

따라서, 전생(前生)에 대한 믿음은 종교적이거나 철학적인 관점에서 각자의 신념(信念)에 따라 다를 수 있습니다.
이에 대해서는 존중하고, 공존하는 다양한 시각을 존중하는 것이 중요합니다.

보충내용

많은 사람이 전생(前生)에서 끝내지 못한 과제를 안고 다시 태어난다고 합니다. 우리가 전생(前生)에서 마무리하지 못한 일을 끝내기 위해 세상(世上)에 태어난 것이라면, 그 일이 단순한 생계유지(生計維持)는 아닐 가능성이 높습니다. 인간(人間)의 영혼(靈魂)은 경제지향적(經濟指向的)이지 않습니다. 대부분의 사람은 육신(肉身)의 안위(安位)를 위해 다른 것을 기꺼이 희생(犧牲)합니다.

우리는 수많은 시대를 거치면서 현재에 이르렀습니다.
엄밀히 말해, 인간은 전생의 업보를 가지고 온다기보다는 전생(前生)에서 저질렀던 짓을 또다시 반복할 잠재력을 가지고 태어난다는 표현(表現)이 더 정확(精確)한 것 같습니다.

우리는 전생(前生)에서 매듭짓지 못한 문제, 길들이지 못한 괴팍한 기질, 그리고 자꾸 같은 문제를 일으키는 충동과 본능을 안고 세상(世上)에 태어나기 때문입니다. 산다는 것은 쓸모 있고, 남에게 도움이 되고, 타인과 건설적으로 협력하며 성장(成長)하는 것을 의미합니다.

부처가 말했듯이, 우리가 세상(世上)에 다시 태어난 이유는 우리가 아직 완벽하지 않기 때문입니다. 완벽의 경지에 오른 사람은 오지 않아도 됩니다. 그런 사람은 이곳에서 더 경험하고 배울 것도 없으니 우주(宇宙)가 다시 보내지 않습니다. 우리가 이번 생(生)에서 해야 할 일은 지금까지 잘하지 못했던 일들을 조금씩 통달(洞達)하는 것입니다.

육체(肉體)를 가진 존재(存在)로서 와 있다는 사실 자체가 아직 나의 약점과 제약을 극복(克服)하지 못했다는 증거입니다.

출처《「환생,카르마 그리고 죽음 이후의 삶」 맨리 p.홀
옮긴이 윤민+남기종 마름돌 2019.4.1.》

AskUp Q&A | 74

카르마는 사람들에게 축복인지

카르마(業)는 종교 및 철학적인 개념으로서 다양한 해석과 이해가 있습니다. 일반적으로 카르마(業)는 행동의 결과로써 개인이 경험하게 되는 것을 의미합니다. 카르마(業)는 양의 행동으로 인해 긍정적(肯定的)인 결과를 받거나, 음의 행동으로 인해 부정적(否定的)인 결과를 받는다고 믿어지기도 합니다.

따라서, 카르마(業)는 단순히 축복 또는 혼자서만 작용하는 개념이 아닙니다. 카르마(業)는 행동과 결과의 관계를 강조하며, 개인(個人)의 행동(行動)에 따라 그에 상응하는 결과를 경험하게 된다고 이해됩니다.

그러나, 각각의 종교나 신념 체계에서 카르마에 대한 해석은 상이할 수 있습니다. 따라서, 카르마(業)가 축복인지 아닌지에 대한 해답은 개인의 신념 및 철학에 따라 다를 수 있습니다.

보충내용

선한 것 진정한 가치를 지닌 모든 것은 타인과 공유(共有)될 수 있습니다. 세상에서 가장 큰 부자는 연민의

정으로 모든 생명을 사랑하고 헌신과 봉사를 실천하는 사람입니다. 이런 사람의 삶이야말로 세상에서 가장 의미 있고 값진 것입니다.

인간은 평균적으로 800회 정도 환생을 한 후에야 비로소 해야 할 일들을 모두 마치고 카르마(業)의 굴레에서 벗어난다고 합니다.

인간이 성장(成長)한다는 것은 , 그의 본질인 영혼이 확장(擴張)된다는 뜻입니다. 성장의 여정이 끝나면 보상이 주어집니다. 신의 뜻에 따라 열심히 성장하며 선을 퍼뜨린 행동에 따른 보상입니다.

존재(存在)하는 것에 존재(存在) 이유가 없다는 것은 말이 안 됩니다. 목표를 가진 것은 목표를 향해 나아가면서 계속 진화하고, 그 과정에서 존재(存在)의 이유를 계속 드러냅니다.
진정으로 파괴되는 것은 없습니다. 사라지는 것도 없습니다. 모든 일의 배후에 의미(意味)가 담겨 있습니다.

인간의 영혼(靈魂)은 남을 도우면서 성장합니다. 우리의 영혼(靈魂)은 우주 만물의 구원이라는 목적을 위해 존재하는 우주 영혼의 일부가 되고 싶다는 염원을 간직하고 있습니다.

 우리의 생각을 긍정적인 방향으로 바꾸면 가능성으로
가득한 미래를 기대할 수 있습니다. 삶을 공부하고 이
해하면 얼마든지 행복(幸福)한 마음으로 미래를 맞을
수 있고, 삶이라는 것이 우리에게 필요할 뿐 아니라 클
로드 브랙든의 말대로 '아름다운 필요성(必要性)'임
을 알게 될 것입니다.

출처《「환생,카르마 그리고 죽음 이후의 삶」맨리p.홀
옮긴이 윤민+남기종 마름돌 2019.4.1.》

AskUp Q&A	75

사람들에게 죽음 이후에는 무엇이 있을까

 죽음 이후에는 다양한 신념과 이야기가 있습니다. 종교 및
철학적인 전통에서는 죽음 이후에 영혼이 다른 형태로 존속
(存續)하거나 새로운 존재(存在) 형태로 태어난다고 믿을 수
있습니다. 이에는 다음과 같은 개념들이 포함(包含)될 수 있
습니다:

1. 윤회 및 전생: 몇몇 종교에서는 윤회라고도 알려진 순환

적인 태어나고 죽음의 과정(過程)을 믿습니다. 이는 영혼이 다른 형태로 태어나고 죽음을 반복(反復)한다는 개념입니다.

2. 천국, 지옥 및 부활: 일부 종교에서는 죽음 이후에 영혼 (靈魂)이 천국 또는 지옥에 들어가거나 최종 심판을 거치고 부활(復活)한다고 믿을 수 있습니다.

3. 무의식 및 이계: 일부 신화적인 이야기에서는 죽음 이후 에는 무의식 세계나 다른 영적인 이계로 영혼(靈魂)이 이동 한다는 개념이 있습니다.

4. 과학적 관점: 과학적인 시각에서는 죽음 이후에는 신체의 생명 기능이 멈추고 뇌 활동이 종료되는 것으로 알려져 있 습니다. 이에 따라 인간의 의식과 인격은 죽음과 함께 소멸 된다고 주장하는 입장도 있습니다.

이러한 주제(主題)는 종교, 철학 및 신화의 영역에 속하며, 다양한 신념과 이야기가 존재합니다. 각자의 신념과 관점에 따라 죽음 이후에 대한 생각과 믿음이 다를 수 있습니다.

보충내용

신이 인간의 진화를 위해 신성한 교육 프로그램을 만들

었고, 인간은 신의 계획에 따라 성장(成長)의 과제를 완수하기 위해 창조(創造)되었다고 가정해 보면, 대다수의 인간이 이렇다 할만한 업적을 이루지도 못한 채 짧은 시간 동안 살다가 죽고 영원히 사라진다면 신의 계획이 물거품 되는 셈입니다. 인간은 자기가 왜 태어났는지, 어디를 향(向)해 나아가고 있는지도 모른 채 허무한 죽음을 맞는 불쌍한 존재(存在)가 되어버립니다. 한번의 생으로 일을 다 끝내는 사람이 있기나 할까요?

삶을 공부하면서 생각 깊고 신중한 영혼으로 성장한 사람과 아무 개념 없이 일생을 낭비한 사람 둘다 몇십 년 후에 영원한 잠드는 운명(運命)을 맞아야 한다는 것이 과연 합당한 처사입니까? 평생 노력하면서 태어날 때보다 나은 사람으로 성장했는데, 죽음으로 한순간에 모든 것이 끝난다면 다 무슨 소용입니까? 영웅이든 악당이든 다 같이 잠든다고 가정하면 삶의 의미가 없어집니다.

사람이 바뀌어야 합니다. 전보다 나은 사람이 되어 바람직한 삶을 살아야 종교도 의미가 있습니다. 올바르게 사는 방법(方法)은 삶이 있는 곳에서 배워야 합니다. 다시 태어나 전생(前生)에서 저질렀던 실수(失手)를 바로 잡고 매듭짓는 것 외에는 달리 방법(方法)이 없습니다.

고대인은 인간이 다시 육신을 갖게 되는 환생의 개념을 창안했습니다. 카르마(Karma)라는 보상의 법칙이 정상적으로 작용하고 실현되기 위해서는 다시 태어나는 수밖에 없다고 결론(結論) 지은 것입니다.

환생(還生)의 가르침이 우리에게 전하는 핵심은 도덕(道德)의 중요성(重要性)입니다.

인간은 크게 두 가지 구성요소로 분류될 수 있습니다. 필멸(必滅)의 육신(肉身)과 불멸(不滅)의 영혼(靈魂)입니다. 인생은 불멸의 영혼이 일정한 수명을 가진 육신을 잠시 의복(衣服)으로 착용한 상태에 비유할 수 있습니다. 시간이 흘러 육신이라는 옷이 낡아 떨어질지라도 영혼(靈魂)은 사라지지 않습니다.

육신이 죽은 후 남은 인간의 본질이 객관적 상태(肉身)에서 주관적 상태(靈魂)로 전환될 뿐입니다.

내면의 세상(世上)은 우리가 매일 접하는 물질 세상보다 훨씬 더 크고 중요한 곳입니다. 하지만 내면의 세상에도 문제가 산적해 있습니다. 내면의 세상은 우리가 바깥세상을 경험(經驗)하면서 성장(成長)합니다.

《「환생,카르마 그리고 죽음 이후의 삶」맨리 p.홀

옮긴이 윤민+남기종 마름돌 2019.4.1.》

가족들은 다음생에도 그대로 가족관계가 유지되는지

전생(前生)에 대한 신념에 따라 가족(家族) 관계(關係)가 어떻게 유지되는지에 대한 다양한 이야기가 있습니다. 일부 종교와 신화적인 전통에서는 가족 관계가 전생(前生)에서도 유지된다고 믿을 수 있습니다. 이는 가족 구성원들의 영혼이 함께 윤회(輪廻)하거나 다른 형태로 태어나면서도 서로를 만날 수 있다는 개념입니다.

그러나 이는 종교적(宗敎的)이거나 철학적(哲學的)인 신념이며, 과학적으로 입증된 사실은 아닙니다. 과학적으로는 유전적 요소와 환경 요인이 가족 관계에 영향을 미치지만, 전생(前生)에서의 관계 유지에 대한 증거는 없습니다.

가족 관계가 전생(前生)에서도 유지되는지에 대한 신념은 각자의 개인적인 신념과 철학에 따라 다를 수 있습니다. 이에 대해서는 서로 존중하고 상호 이해하는 것이 중요합니다.

보충내용

가족관계(家族關係)는 이전 생에 서로에게 취했던 태도나 감정을 이번 생에도 그대로 재현(再現)하는 경우가 많은 것 같습니다.

 예를 들어 두 사람이 이전 생에 모친과 딸로 애틋한 관계였다면 이번 생에도 그 따뜻한 관계(關係)가 지속된다는 것이지요. 물론 역할(役割)이 달라져서 모녀간이 자매간으로 바뀔 수 있습니다.

또 한 예로 어떤 부인이 지금 남편을 다시는 만나고 싶디 않다는 마음에 그를 강하게 미워하면 그것이 카르마(Karma)를 만들어 다음 생(生)에도 남편과 재회(再會)할 기회를 만든다는 뜻입니다.

사람 간의 악연은 두 생에만 그치는 것이 아니다. 생(生)을 거듭하면서 지속(持續)됩니다. 이처럼 불행이 반복된 이유는 두 사람 사이에 있었던 카르마를 적절하게 해소(解消)하지 못했기 때문입니다.

카르마(Karma)의 법칙은 이렇게 돌아갑니다. 이런 맥락에서 붓다가 '사랑하는 사람이나 미워하는 사람을 만들지 말라'고 했을 것입니다. 모든 욕망(慾望)은 카르마(Karma)를 만들어내기 때문입니다.

출처《「환생,카르마 그리고 죽음 이후의 삶」맨리 p.홀

옮긴이 윤민+남기종 마름돌 2019.4.1.》

현생에서 가족 중에서 특히 싫은 사람이 있는 것도 카르마 때문인지

카르마는 개인의 행동과 결과 사이의 관계를 설명하는 개념이지만, 특정 가족(家族) 구성원(構成員)에 대한 싫음은 카르마(Karma)에 귀인한 것으로 일반적으로 설명되지 않습니다. 가족 간의 갈등(葛藤)이나 불화(不和)는 다양한 이유와 상황에 기인(基因)할 수 있습니다.

가족 간의 관계(關係)는 각각의 개인의 성격, 가치관, 경험 등에 따라 형성되기 때문에, 특정 가족 구성원을 싫어한다는 것은 복잡(複雜)한 상황의 결과(結果)일 수 있습니다. 이는 가족 구성원 간의 상호작용, 의사소통 문제, 갈등 해결 방식 등이 영향을 미칠 수 있습니다.

따라서, 특정 가족 구성원에 대한 싫음은 카르마(Karma)와 직접적인 연관이 있는 것보다는 다른 다양한 요인과 상황에 기인한 것으로 이해(理解)하는 것이 적절합니다. 상호작용(相互作用)과 의사소통(意思疏通)을 통해 가족 간의 갈등을 해소하고 조화롭게 지내는 것이 중요합니다.

인간관계(人間關係) 중 가족내에서 발생하는 증오관계, 어떤 한 집안에서 자매끼리 상황이 너무 악화되어 그의 아버지가 역행최면을 제안하여 이루어진 사례입니다.

어느 전생(前生)에서인가 나와 동생은 한 남자를 차지하려고 다투던 연적(戀敵)이었습니다. 그런데 더 놀라운 것은 그 남자가 바로 이번 생의 아버지라는 점이었습니다. 전생에 습력(習力) 때문이었습니다. 전생에 서로를 미워하던 감정이 너무도 강해 그것이 무의식에 저장되었고 그 부정적인 감정을 그대로 이번 생에 가져온 것입니다. 나와 동생은 이를 의식하지 못하고 그대로 그 감정에 휘말린 것이었습니다.

이런 가족간의 증오관계(憎惡關係)로 나온 실례(實例)가 여러 건이 있었습니다.

출처《「너무 늦기 전에 들어야 할 **카르마 강의**」 최준식 김영사 2021.6.30.》

AskUp Q&A	78

사람들이 살아온 삶이 시절인연(時節因緣)과 밀접한 관계가 있는지

사람들이 살아온 삶은 주변 환경과 시대적인 영향을 받으며, 시절인연(時節因緣)과 밀접한 관계가 있을 수 있습니다.

시절인연(時節因緣)은 특정 시대의 사회, 문화, 정치, 경제적인 상황 등이 형성(形成)하는 전반적(全般的)인 분위기와 영향력을 말합니다.

예를 들어, 특정 시대의 정치적인 변화나 사회적인 운동은 사람들의 가치관, 사고방식, 삶의 방식에 큰 영향(影響)을 미칠 수 있습니다. 또한, 과학기술의 발전, 문화적인 변화, 경제적인 상황 변동 등도 사람들의 삶에 영향(影響)을 줄 수 있습니다.

또한, 시절인연(時節因緣)은 개인의 경험과 연결되기도 합니다. 개인이 특정 시기에 경험한 사건이나 충격적인 사건은 그들의 가치관, 인생관, 인격 형성 등에 영향(影響)을 미칠 수 있습니다.

시절인연(時節因緣)은 사람들의 삶을 형성(形成)하는 다양한 영향 요소 중 하나입니다.
이를 통해 우리는 사람들이 어떻게 성장(成長)하고 변화(變化)하는지, 그들이 속한 시대와 문화의 영향을 받는지를 이해(理解)할 수 있습니다.

카르마는 불교에서만 사용되는 용어인지

카르마(Karma)는 주로 불교(佛敎)에서 사용되는 용어(用語)로 알려져 있지만, 다른 종교 및 철학적인 전통에서도 사용되고 있습니다.

불교에서의 카르마(Karma) 개념은 행동의 결과와 개인의 의식적인 행위에 대한 개념(槪念)을 설명하는 데 중점을 둡니다. 개인의 행동은 카르마(Karma)를 형성하며, 이는 다음 생(生)에 영향을 미칠 수 있다고 믿어집니다.

하지만, 카르마(Karma) 개념은 불교뿐만 아니라 힌두교, 자이나교, 신라교, 바하이교 등 다른 종교(宗敎) 및 철학적인 전통(傳統)에서도 사용되고 있습니다.
카르마(Karma)는 행동과 결과, 인과관계(因果關係)에 대한 이해를 나타내며, 이는 다양한 문화와 신념 체계에서 공유되는 개념입니다.

따라서, 카르마(Karma)는 불교뿐만 아니라 다른 종교 및 철학에서도 사용되는 용어(用語)입니다.

현생에서 멋있고 아름다운 외모나 목소리도 이전 생의 카르마와 관계되는지

카르마(Karma)는 개인의 현재 생에 대한 행동과 결과를 설명하는 개념이기 때문에, 이전 생의 카르마(Karma)와 외모나 목소리와의 직접적인 연관은 일반적으로 설명되지 않습니다.

외모나 목소리는 개인(個人)의 유전적인 특성과 환경 요인에 의해 형성되는데, 이는 현재 생에서의 유전적인 요소와 외부 환경의 영향을 받는 것입니다. 이전 생의 카르마(Karma)는 개인의 행동과 결과를 설명하는데 초점을 맞추고 있기 때문에, 외모나 목소리와의 직접적인 연관은 존재하지 않는 것으로 이해됩니다.

카르마(Karma)는 현재 생(生)에서의 행동과 태도에 따른 결과를 강조하며, 개인의 외모나 목소리는 현재(現在) 생(生)에서의 다양(多樣)한 요인에 의해 형성(形成)되는 것으로 이해하는 것이 적절합니다.

보충내용

카르마(Karma) 법칙에 따르면 모든 사안에는 원인이 있습니다. 그렇다면 내가 이번 생에 지금과 같은 외모나 목소리, 재능 등을 갖게 된 데에도 분명히 원인이 있을 것입니다.

카르마(Karma)의 관점에서 보면 수려한 외모나 아름다운 목소리를 갖게 된 것은 이전 생에 훌륭한 선행(善行)을 했거나 아름다움을 위해 수련(修練)한 결과라고 할 수 있습니다. 좋은 생각이 수려한 외모를 낳은 것이지요.

이와 관련해 에드가 케이시가 제시하는 사례는 많은 참고가 됩니다. 어떤 아름다운 영국 여성이 찾아와 케이시가 전생을 조사해 보니 그녀는 이전 생에 기아(飢餓), 즉 버려진 아이들을 많이 데려다 먹여주고 재워주었습니다. 이 선행(善行)으로 인해 그녀는 이번 생에 아름다운 외모를 갖게 되었다고 합니다

이 뿐만아니라 여러 사례(事例)에서 에드가 케이시는 이와 관련된 많은 것을 보여주고 있습니다.

출처《「너무 늦기 전에 들어야 할 **카르마 강의**」최준식 김영사 2021.6.30.》

끝마치며

카르마는 인간이 하는 모든 행위를 뜻한다. 그런데 내가 하는 모든 일, 즉 카르마는 그것이 원인이 되어 반드시 일정한 결과를 만들어냅니다.

맨리 P홀의 강연을 잠깐 언급하면 "카르마는 인과관계입니다. 카르마를 형벌의 관점에서만 봐서는 안 됩니다. 현생에 있는 동안이든 육신이 죽은 이후든, 어떤 사악한 정령이 인간의 생명이나 의식을 점령한다는 개념이 아닙니다. 카르마는 '원인 안에 결과가 들어있다.' 는 것을 의미하는 용어입니다.

우리도 일생에서 어떤 원인으로 인해 어떤 결과가 발생하는 현상을 늘 관찰하고 있습니다. 하지만 대부분의 사람이 결과에만 집착하다 보니 그 결과를 가져온 원인은 쉽게 지나치는 경우가 많다" 고 맨리 P홀은 말하고 있습니다.

카르마(Karma)는 나에게 불행처럼 보이는 일이 닥치는 이유와 나의 단점, 다스리지 못한 성향과 기질, 삶을 체험하고 교훈을 얻으면서 고쳐야 할 일이 무엇인지를 알려주는 훌륭한 스승입니다.

전난영 작가는 "자신의 카르마가 무엇인지, 그 카르마의 목적이 무엇인지 알기만 해도 이번 생에 본인에게 주어진 모든 환경과 인연들의 의미를 알아챌 수 있다. 자신이 가지고 나온 '카르마'만 알아도 종교나 영성을 맹신하지 않게 된다"고 말합니다.

이 책에 있는 AskUp을 활용한 80가지의 질문과 답의 내용은 주로 카르마(Karma)와 인연(因緣)을 중심으로 다루어지고 있습니다. 우리들의 일상생활(日常生活)에서 일어나는 사건이나 상황 또는 뉴스가 되었던 것들을 대화형식으로 써놓았습니다. 그래서 이해하기가 조금 더 쉬우리라 생각됩니다.

또한 '보충내용'에 각각의 질문에 대한 답에 해당하는 관련되는 내용을 심도 있는 전문가들이 서술한 글을 삽입·정리하여 보았습니다.

이 책을 읽는 동안 또는 읽고 난 독자분들께 조금이나마 도움이 되었으면 하는 바람입니다.

변화는 나부터 조금씩 시작되는 것이지 상태부터 시작되는 것이 아닙니다.

독자분들께서는 자신의 삶에 이런 부분들을 참조하여 날마다 발전하는 하루하루가 되기를 두손 모아 기원합니다. 항상 건강하고 행복하십시오.

감사합니다.

참고문헌

《「카르마와 환생」 파라마한사 요가난다 옮긴이 이현주
도서출판 삼인 2022.12.15》

《지혜와 통찰의 서「카르마와 인연법」태라전난영 지식공감
2022.7.22. 》

《「너무 늦기 전에 들어야 할 카르마 강의」최준식 김영사
2021.6.30.》

《「환생, 카르마 그리고 죽음 이후의 삶」 맨리 p.홀
옮긴이 윤민+남기종 마름돌 2019.4.1.》

《「윤회의 본질」크리스토퍼M.베이치 옮긴이 김우종
정신세계사 2014.3.7 》

《「윤회 행복한 삶을 위한 마음공부」지나서미나라 옮긴이
강태헌 도서출판 파피에 2020.11.3》

《「인연의 도킹 」태라전난영 지식공감 2019.11.18 》

《생각하며 실천하는 삶을 통한 일상생활, 건강한 나의 역사 만
들기 우재 윤필수 부크크 2023.7.17.》

《「시절인연」 여여(如如) 문사수법회 2017.11.10》

참고 사이트

《https://search.naver.com/》

《https://namu.wiki》

《https://ludyyang.tistory.com/34》

《https://brunch.co.kr/@ljs-president/110》

《http://www.ibulgyo.com》

《https://gall.dcinside.com/mgallery/board/view/?id=meditation&no=5045》

《https://pixabay.com/ko/images/》

《https://namu.wiki/w/%EC%9C%A4%ED%9A%8C》

《https://m.blog.naver.com/rudtjs1184/221123313059》

《https://m.blog.naver.com/superhammer1/222932042654》

《https://www.bing.com/images/》